KB183358

어린왕자
The Little Prince &
A Dog of Flanders
플랜더스의 개
생 텍쥐페리, 위다 지음 / 38요일 옮김

다인미디어

어린왕자 · 플랜더스의 개

1판 1쇄 발행일 / 2017년 3월 20일
지은이 / 생 텍쥐페리 외
옮긴이 / 38요일
펴낸이 / 이봉순
펴낸곳 / 다인미디어

출판등록 / 2009. 6. 2 (제 301-2009-108호)
서울시 중구 예장동 1-51
전화 / 02-2274-7974 팩스 / 02-743-7615

ISBN 978-89-87957-83-8

어린왕자 · 플랜더스의 개

차례

어린왕자

작품소개

예로부터, 사람들은 별을 신비롭고 영원한 상징으로 비유하여 사용했습니다. 소중한 가치나 마음을 별에 담아 늘 간직하고자 했습니다.
이 작품에서는 사람들이 가질 수 있는 소중한 의미를 별에 빗대어 표현하고 있습니다. 서툰 사랑의 표현으로 별을 떠난 어린왕자는 여러 별들을 여행합니다. 각자 중요한 일을 한다고 믿는 '어른'들의 별을 이해할 수 없었던 어린왕자는 마침내 지구에 도착합니다. 여우를 만나 소중한 것의 의미를 깨달은 어린왕자는 사막에 불시착한 비행사에게 그 의미를 되새긴 후에 별이 되어 지구를 떠납니다.

1

여섯 살 때, 나는 『생생한 대자연 이야기』라는 원시림에 대한 책에서 아주 놀라운 그림을 보았습니다. 동물을 칭칭 감아 죽이는 보아 뱀이 어떤 동물을 막 집어삼키려는 그림이었습니다. 이런 그림이었습니다.

책에는 이렇게 씌어 있었습니다. "보아 뱀은 먹이를 씹지도 않고 통째로 삼킨다. 그러면 움직일 수조차 없게 되어 전부 소화가 될 때까지 육 개월 동안 잠을 잔다."
나는 곰곰이 생각해 보았습니다. 그리고 책 속의 정글탐험이 끝난 후에 색연필로 생애 첫 작품을 그렸습니다.

내 작품번호 일 번. 그 그림은 이렇게 생겼습니다.

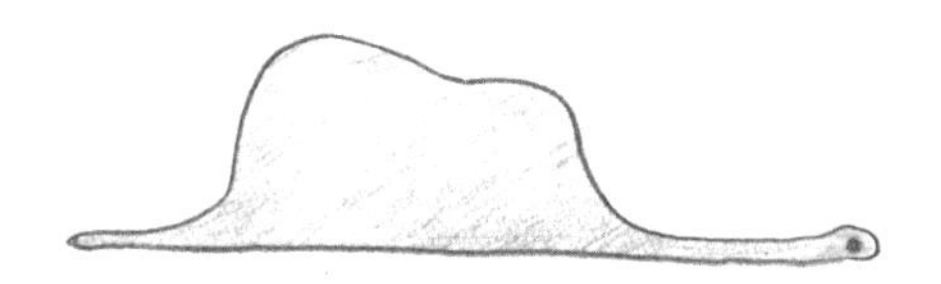

나는 내 걸작을 어른들에게 보여주었습니다. 그리고 어른들에게 그림이 무섭지 않으냐고 물어보았습니다. 하지만 어른들은 이렇게 대답했습니다.

"무섭냐고? 누가 모자 따위를 무서워하겠니?"

내 그림은 모자 그림이 아니었습니다. 보아 뱀이 코끼리를 소화시키는 그림이었습니다. 어른들이 그림을 이해하지 못하는 통에 다른 그림을 그려 주었습니다. 내가 보아 뱀의 뱃속을 그리고 나자, 어른들은 무릎을 치며 이해했습니다. 어른들이란 늘 설명을 해줘야 압니다. 내 작품번호 이 번은 이렇습니다.

이번엔 어른들이 보아 뱀의 뱃속이 어떻든 거죽이 어떻든 신경도 쓰지 않고 그림을 내려놓더니 이럴 시간에 지리와 역사, 산수나 문법공부를 더하는 것이 어떠냐고 타일렀습니다.
이것이 여섯 살 때, 내가 화가로 성공할 수 있었던 재능을 포기한 이유입니다. 작품번호 일 번과 작품번호 이 번이 실패로 끝나버리자 나는 실망하고 말았습니다. 어른들은 눈곱만큼도 이해하려 들지 않았습니다. 더구나 어린이가 매번 어른들에게 끊임없이 설명을 하는 것도 피곤한 일이었습니다.

그래서 나는 다른 직업을 잡기로 마음먹고 비행술을 배웠습니다. 세상 구석구석을 비행기를 타고 꽤 돌아다녔습니다. 그러다보니 확실히 지리공부가 쓸모가 있긴 했습니다. 흘깃만 봐도 중국에서부터 애리조나까지 구분할 수 있었으니까요. 누구든 밤중에 길을 잃는다면 지리공부가 크게 도움이 될 겁니다.

비행을 하는 동안, 나는 일 때문에 수많은 사람들을 수없이 만나보았습니다. 오랜 시간을 어른들 사이에서 살며 가까이에서 자세히 그들을 지켜보았습니다. 그렇지만 어른들에 대한 내 생각은 별로 좋아지지 않았습니다.

나는 제법 똑똑해 보이는 사람을 만날 때마다 늘 지니고 다니는 내 작품번호 일 번을 내밀어 슬쩍 떠보려 했습니다. 제대로 된 분별력을 갖춘 사람을 찾으려 애썼던 것입니다. 하지만 그림을 본 사람이 남자든 여자든 대답은 늘 같았습니다.
"모자네."
그래서 이런 사람들에게는 보아 뱀과 원시림이나 별 얘기 따위는 절대 하지 않았습니다. 그저 그들의 수준에 맞춰 카드놀이와 골프 이야기를 하거나 정치와 넥타이 이야기를 했습니다. 그러면 어른들은 뭘 좀 아는 사람을 만났다고 대단히 기뻐했습니다.

2

그 때문에 나는 터놓고 말할 사람 하나 만나지 못하고 혼자 살았습니다. 육 년 전에 사고로 비행기가 사하라 사막에 추락하기 전까지는 그랬습니다. 엔진에서 뭔가 망가지는 바람에 수리공이나 다른 승객도 없이 오로지 혼자 어렵게 비행기 수리를 해야만 했습니다. 내게는 죽느냐, 사느냐의 문제였습니다. 겨우 일주일 정도 마실 물만 남아있었기 때문이었습니다.

그날 밤, 사람 사는 곳에서 까마득히 떨어진 사막의 모래 위에 잠자리를 만들었습니다. 나는 바다 한 가운데에서 조난을 당해 구명보트를 타고 있는 뱃사람보다 더한 외로움에 시달렸습니다. 해 뜰 무렵, 어린 아이의 목소리를 듣고 잠에서 깬 내가 얼마나 놀랐는지 여러분도 한번 상상해보십시오. 그 목소리가 말했습니다.

"양 한 마리만 그려주시겠어요?"

"깜짝이야!"

"양 한 마리 그려주세요."

나는 정말 벼락이라도 맞은 것처럼 놀라서 펄쩍 뛰었습니다. 나는 격렬히 눈을 껌뻑였습니다. 몸도 구석구석 살펴보았습니다. 그러다 정말 이상하게 생긴 조그만 아이를 보았습니다. 아이는 진지한 눈으로 나를 살피고 서 있었습니다. 나중에 그렸지만, 여기에 그 아이를 비슷하게 제일 잘 그린 그림이 있습니다. 물론 내 그림보다 그 아이가 훨씬 더 멋졌습니다.

그림을 못 그린 건 내 잘못이 아닙니다. 여섯 살 때, 어른들이 화가를 향한 나의 꿈을 망쳐버리는 바람에 그림을 배

우지 못해, 그저 그리는 거라곤 보아 뱀의 안쪽과 바깥쪽 뿐인 것입니다.

어쨌든, 나는 깜짝 놀라 휘둥그레진 눈으로 갑작스런 아이의 등장을 지켜보았습니다. 생각해보십시오. 나는 사람 사는 곳에서 까마득히 떨어진 사막 한가운데에 추락했는데 아이는 분명 사막 한 가운데에서 길을 잃거나, 피곤하고 배고프고 목마르고 무서워서 지친 기색조차도 없었습니다. 아이에게서 사람이 살지 않는 까마득한 사막 한 가운데에서 길을 잃었다고 볼만한 단서도 하나 찾을 수 없었습니다.
겨우 정신을 차려 물어보았습니다.
"근데, 너 여기서 뭐하는 거냐?"
대답 대신 아이는 아주 천천히, 마치 엄청 중요한 일이라도 되는 듯 반복했습니다.
"괜찮으시면, 양 한 마리만 그려주세요…."
이해할 수 없는 일이 그 정도를 넘어서면 사람은 거절할 엄두를 못 내기 마련입니다. 어처구니없게도 사람 그림자조차 볼 수 없는 머나 먼 사막 가운데에서 생존의 위협을 받는 와중에, 나는 주머니에서 종이 한 장과 만년필을 꺼내들었습니다. 그렇지만 금세 내가 지리와 역사, 수학과 문법을 공부해야 했던 계기를 생각해 내고는 그 못된 꼬마 녀석에게 어떻게 그려야하는지 모른다고 말했습니다. 아이가 말했습니다.

"그래도 괜찮아요. 양 한 마리를 그려주세요…."

하지만 나는 양을 그려본 적이 없었습니다. 그래서 즐겨 그렸던 두 가지 그림 중의 하나를 그려 아이에게 주었습니다. 바깥에서 본 보아 뱀 그림이었습니다. 그런데 아이가 칭얼대는 소리를 듣고 나는 깜짝 놀랐습니다.

"아냐, 아냐, 아니란 말이에요! 보아 뱀 뱃속에 있는 코끼리는 싫어요. 보아 뱀은 아주 무서운 동물이고 코끼리는 너무 크단 말이에요. 내가 사는 곳은 아주 작은 것들만 있어요. 내게 필요한 건 양 한 마리예요. 양을 그려줘요."

그래서 그림을 그렸습니다.

아이는 자세히 보더니 말했습니다.

"안 돼요. 이 양은 벌써 많이 아프잖아요. 다른 양을 그려 줘요."

그래서 다시 그렸습니다.

꼬마 친구가 의젓하고 너그러운 미소를 띠었습니다.

"잘 보세요."

아이가 말했습니다.

"이건 양이 아니라 염소잖아요. 뿔이 있잖아요."

한 번 더 그림을 그렸습니다. 하지만 다른 그림들처럼 또 퇴짜를 맞았습니다.

"너무 늙은 양이에요. 오래오래 같이 살 양이 필요해요."
결국, 내 인내심이 바닥이 나고 말았습니다. 왜냐하면 비행기 엔진을 서둘러 뜯어내야 했기 때문입니다. 그래서 이렇게 그린 그림을 툭 던져주었습니다.

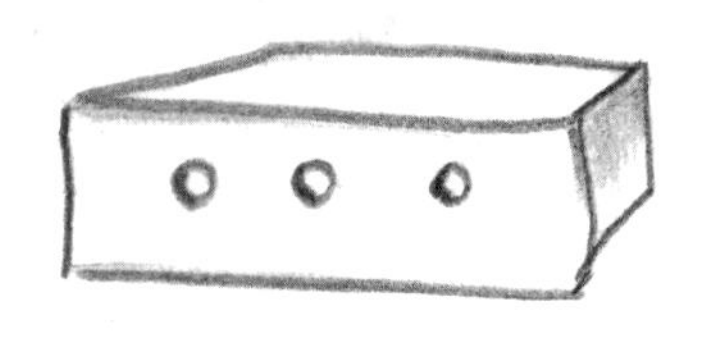

그리고 이런 설명을 곁들였습니다.
"이건 양이 들어있는 상자야. 네가 부탁한 양은 이 안에 있어."
나는 조그만 재판관의 얼굴이 환히 빛나는 걸 보고 깜짝 놀랐습니다.
"이게 바로 내가 찾던 거예요. 이 속에 있는 양은 풀을 엄청 많이 먹지 않을까요?"
"왜?"
"왜냐면, 내가 사는 곳은 뭐든지 작거든요…."
"거기 있는 풀로도 충분할 거야, 네게 준 상자 속의 양은 아주 작아.”

아이는 그림을 뚫어져라 쳐다보았습니다.

“그렇게 작지도 않아요. 보세요! 잠들었어요.”

이렇게 나는 어린왕자와 만나게 되었습니다.

3

나는 그 아이가 어디서 왔는지 아주 오래도록 들었습니다. 그런데 어린왕자는 이것저것 묻기만 할 뿐, 내가 묻는 말은 귀담아 듣지 않는 눈치였습니다. 나는 간간이 들리는 몇 마디 말로 차츰 그를 이해할 수 있었습니다.

어린왕자가 처음 비행기를 보았을 때 내게 물었습니다. 나는 여기에 비행기를 그리고 싶지는 않습니다. 비행기는 그리기에는 너무 복잡합니다.

“이건 뭐하는 물건이에요?”

“물건이라니? 이건 날아다니는 비행기라고 불러. 내 비행기야.”

나는 자랑스럽게 내가 비행을 할 수 있다는 얘기를 했습니다.

그러자 어린왕자가 소리를 질렀습니다.

“정말? 아저씨는 하늘에서 떨어졌어요?”

“그럼.”

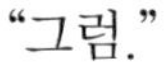

나는 짐짓 점잖을 빼며 대답했습니다.
"이야! 재미있는 얘기에요!"
어린왕자는 귀여운 소리를 내며 웃음을 터뜨렸습니다. 나는 그런 태도가 아주 언짢았습니다. 운이 없는 내 신세를 좀 진지하게 이해해주길 바랐기 때문입니다. 어린왕자가 말을 이었습니다.
"그럼 아저씨도 하늘에서 왔군요! 어느 별에서 왔어요?"
그 순간, 나는 이해할 수 없었던 그의 비밀에 번뜩 빛이 비추는 것을 느꼈습니다. 그래서 불쑥 물어보았습니다.
"너는 어떤 별에서 왔니?"
하지만 어린왕자는 대답을 하지 않았습니다. 어린왕자는 아무 말 없이 비행기를 쳐다보며 천천히 머리를 끄덕였습니다.
"저걸 타고는 아주 멀리서 올 수 없을 것 같아요."
어린왕자는 머리를 숙이고 아주 오래도록 생각에 잠겼습니다. 그리고는 주머니에서 내가 준 양 그림을 꺼내놓고 그 소중한 보물을 어떻게 할지 고민에 빠졌습니다.

여러분은 '다른 별'이라는 당최 믿을 수도 없고, 믿지 않을 수도 없는 이야기에 내가 얼마나 궁금해 죽을 지경이었는지 상상이 갈 것입니다. 나는 궁리 끝에 이런 질문을 찾아내었습니다.

"꼬마야, 넌 어디서 왔지? 네가 말한 '내가 사는 곳'이 어디지? 도대체 어디로 그 양을 데리고 갈 생각이냐?"

어린왕자는 잠시 조용히 생각하더니 대답을 했습니다.

"내게 준 상자는 밤에 양이 집으로 사용하면 좋을 것 같아요."

"그건 그렇지. 그리고 만약 낮 동안 말뚝에 양을 묶어둘 밧줄이 필요하면 그것도 그려줄게."

하지만 어린왕자는 그 말에 충격을 받은 것 같았습니다.

"묶어둔다고요? 어떻게 그럴 수가 있어요?"

"묶어두지 않으면 양이 헤매다 길을 잃을 수도 있잖아."

어린왕자는 다시 귀여운 웃음을 터뜨렸습니다.

"양이 대체 어디로 간다는 거죠?"

"아무데나. 앞으로 주욱 가겠지."

그러자 어린왕자는 진지하게 말했습니다.

"그래도 상관없어요. 내가 사는 별은 모두 아주 조그맣거든요."

슬픈 듯한 표정으로 어린왕자는 말을 했습니다.

"곧장 앞으로 가더라도 멀리 갈 순 없어요…."

4

나는 두 번째 중요한 사실을 알았습니다. 어린왕자가 온 별이 겨우 집 한 채 크기 정도라는 것입니다! 하지만 그리 놀라운 일도 아니었습니다. 나는 우리가 이름을 붙인 지구, 목성, 화성, 금성과 같은 커다란 행성도 있지만, 그 크기가 너무 작아서 망원경으로 보기조차 어려운 수백 개의 작은 행성도 있다는 걸 잘 알고 있습니다. 어떤 천문학자가 이런 작은 행성을 발견해 따로 이름을 붙이지 않는다면 그냥 번호를 붙입니다. 예를 들면 '소행성 325' 라는 식입니다.

어린왕자가 온 별의 이름이 소행성 B-612라고 추정할 만한 그럴싸한 근거가 있었습니다. 이 소행성은 1909년에 어느 터키 천문학자가 딱 한 번 망원경으로 관측한 적이 있습니다.

이 천문학자는 자신이 발견한 내용을 가지고 국제 천문학회에 참석해 놀라운 발표를 했습니다. 하지만 그는 터키의 전통 옷을 입었다는 이유로 아무도 그의 말을 믿으려하지 않았습니다.

어른들은 이런 식입니다.

하지만 다행히 터키의 독재자가 소행성 B-612 사건을 교훈 삼아 양복을 입지 않으면 사형시켜버리겠다는 법을 만들어버렸습니다. 그 천문학자는 1920년에 멋지고 우아한 양복을 입고 다시 발표회를 가졌습니다. 이번에는 모든 이

들이 그의 발표를 믿었습니다.

이렇게 내가 소행성 이야기를 늘어놓고 숫자까지 세세하게 알려주는 이유는 순전히 어른들의 태도 때문입니다. 어른들에게 새 친구를 사귀었다고 이야기하면 정작 중요한 건 묻지 않습니다. 어른들은 절대 다음과 같이 묻지 않습니다.

"걔 목소리가 어떻든? 어떤 놀이를 좋아해? 나비표본을 수집하니?"

대신, 이런 질문을 합니다.

"걔 몇 살이니? 형제는 몇이래? 몸무게는? 걔네 아빠 수입은 얼마라든?"

어른들은 이런 숫자를 통해서만 그 친구를 상상하고 판단하려듭니다.

"예쁜 집을 봤는데, 빨간 벽돌로 지었고 창문에는 제라늄이 있었어요, 그리고 지붕에 비둘기도 있고요."

이렇게 말하면 어른들은 그 집이 어떤 집인지 상상할 수 없습니다.

"이억 원짜리 집을 보았어요."

그제야 어른들은 감탄할 것입니다.

"이야! 정말 멋진 집이구나!"
그렇습니다. 이렇게 물어볼 수도 있겠지요.
"어린왕자가 있다는 증거는 이런 거예요. 어린왕자는 웃을 때 매력적이고 양을 찾아 다녀요. 누군가 양을 원한다면, 그건 어린왕자가 존재한다는 증거예요."
이보다 더 훌륭한 설명이 어디 있겠습니까? 하지만 어른들은 어깨를 으쓱하고는 당신을 어린 애 취급을 할 것입니다. 하지만 이렇게 말해보십시오.
"어린왕자가 온 별의 이름은 소행성 B-612예요."
그러면 어른들은 납득을 하고 더 이상 귀찮은 질문을 하지 않을 것입니다.
어른들은 이렇습니다. 그렇다고 어른을 비난해서는 안 됩니다. 어린이는 늘 어른을 관대하게 대할 줄 알아야합니다. 삶을 아는 우리와 같은 사람들은 숫자가 중요하지 않다는 걸 분명히 알고 있습니다.

나는 이 이야기를 동화 풍으로 쓰고 싶었습니다. 말하자면 이런 겁니다.
"옛날 옛날 한 옛날, 어느 별에 어린왕자가 살았습니다. 그 별은 어린왕자보다 조금 더 컸습니다. 그리고 그는 양이 갖고 싶었습니다….”
삶을 아는 사람에게는 이런 방식이 훨씬 더 멋지고 참된 전달 방법일 것입니다. 나는 사람들이 내 책을 대충 읽지 않기를 바랍니다. 이 이야기를 써 내려가면서 나는 줄곧 쓰라리게 가슴이 아팠습니다. 벌써 내 꼬마친구가 양을 데리고 떠난 지 육 년이나 지났습니다. 나는 이렇게 어린왕자의 이야기를 쓰면서 어린왕자를 잊지 않고 똑똑히 기억하게 되겠지요. 친구를 잊고 사는 것은 슬픈 일입니다. 아무나 친구를 사귈 수 있는 것은 아닙니다. 내가 어린왕자를 잊는다면 나 역시 그저 숫자밖에 모르는 여느 어른이나 마찬가지 신세일 뿐입니다.

이것이 내가 물감과 연필 몇 자루를 다시 산 계기입니다. 여섯 살 때, 보아 뱀의 안쪽과 바깥쪽 그림을 그린 이후로 그림이라곤 손에 대지도 않았던 내가, 나이가 들어 그림을 다시 시작하려니 무척이나 힘든 일이 아닐 수 없습니다. 최선을 다해 내가 본 그대로 초상화를 그리려고 노력은 하겠지만 잘 할 자신은 없습니다. 어떤 그림은 잘 그려졌지만 어떤 그림은 전혀 닮지도 않았습니다. 어린왕자의 키를 묘사하는데 실수도 있었습니다. 어떤 장소에서는 너무 크고 다른 장소에서는 너무 작게 그렸습니다. 어린왕자가 입었던 옷의 색깔도 헷갈렸습니다. 그래도 나는 내가 할 수 있는 한, 좋든 나쁘든 최선을 다해 예쁘게 꾸미려고 노력했습니다.

어쩌면, 아주 중요한 부분에서 실수를 저지를지도 모르겠습니다. 하지만 일부러 그런 것은 아닙니다. 꼬마친구가 말해주지 않은 부분도 있기 때문입니다. 아마도 내가 자신과 닮았다고 생각했었나봅니다. 아! 그래도 나는 상자 속에 있는 양을 꿰뚫어보는 재주는 없습니다. 아마 나도 그저 그런 어른과 다를 바 없을지도 모르겠습니다. 나도 어른이 되어버린 모양입니다.

5

하루하루 지나며 나는 어린왕자와 대화를 하며 그가 살던 별 이야기, 별을 떠나게 된 이야기, 그리고 떠돌았던 이야기를 듣게 되었습니다. 이런 이야기는 오랜 시간동안 천천히 어린왕자가 가진 생각의 부스러기를 모은 것입니다. 그렇게 사흘째 날에 바오밥나무 때문에 생긴 피해에 대해 알 수 있었습니다.

이번에도 역시 양 그림 덕분이었습니다. 걱정이 가득한 듯 진지하게 어린왕자가 물었습니다.

"저 양이 정말로 작은 풀만 먹나요?"

"그럼."

"휴, 다행이에요!"

나는 왜 양의 먹이가 작은 풀이어야 하는지 이해할 수 없었습니다. 어린왕자가 말을 이었습니다.

"그럼 바오밥나무도 먹을 수 있겠네요?"

나는 어린왕자에게 바오밥나무는 작은 풀이 아니라고 말해주었습니다. 뿐만 아니라 그 나무는 커다란 성만큼이나 커서 코끼리 떼를 몰고 간다 해도 바오밥나무 한 그루조차

다 먹어치우지 못할 것이라고 말했습니다. 코끼리 떼를 몰고 간다는 얘기에 어린왕자가 웃으며 말했습니다.
"코끼리 떼를 쌓아올려야 할 거예요."
그리고 어린왕자는 지혜로운 말을 했습니다.
"바오밥나무도 크기 전에는 작아요."
"그렇지. 그런데 왜 양에게 어린 바오밥나무를 먹이려는 거냐?"
어린왕자는 누구나 다 아는 얘기라도 되는 것처럼 바로 말했습니다.
"아저씨도 참!"
나는 이 문제를 풀기 위해 혼자 한참을 끙끙대야만 했습니다. 내가 들은 바에 의하면, 어린왕자가 사는 별에는 좋은 식물과 나쁜 식물이 있습니다. 그래서 좋은 식물은 좋은 씨앗을 맺고 나쁜 식물은 나쁜 씨앗을 맺습니다. 그런데 씨앗들은 눈에 보이지 않습니다. 씨앗들은 땅 속 어둠에 잠들어 있다가 그 중 하나가 잠을 깨고 싶으면 햇볕을 향해 귀여운 수줍은 새싹을 밀어 올려 뿌리를 뻗기 시작합니다. 무 싹이나 장미덤불의 싹이면 제 멋대로 자라게 놔두지만, 나쁜 식물의 싹이면 가능한 한 재빨리 눈에 띄는 대로 뽑아버려야만 합니다.

그런데 어린왕자의 별에는 아주 무서운 씨앗이 있었습니다. 바로, 바오밥나무의 씨앗이었습니다. 그 별은 바오밥나무 천지였습니다. 바오밥나무는 제 때에 손보지 않으면 영영 뽑을 수 없게 되고 맙니다. 바오밥나무가 별 전체에 퍼지면 뿌리가 별을 파고들어 가고, 별이 작은데 바오밥나무가 너무 많게 되면 별은 쪼개지고 마는 것입니다.

"규칙이 있어야 해요."

어린왕자가 말을 이었습니다.

"아침에 일어나 몸단장을 마치고 나면 별단장을 해야 해요. 몸단장을 하는 것처럼 정성스럽게요. 바오밥나무의 새싹은 장미덤불 새싹과 아주 비슷하기 때문에 잘 살펴서 매일 뽑아줘야 해요. 재미없는 일이긴 해도 쉬운 방법이에요."

어느 날, 어린왕자가 말했습니다.

"아이들이 그게 어떻게 생겼는지 잘 알 수 있도록 그림을 예쁘게 잘 그려야만 해요. 그러면, 언젠가 아이들이 여행을 떠날 때 정말 도움이 될 수 있을 거예요."

어린왕자는 덧붙여 말했습니다.

"할 일을 미룬다고 해서 당장 무슨 일이 벌어지는 건 아니지만 바오밥나무는 달라요. 언제든 손해를 끼칠 수 있어요. 게으름뱅이가 사는 별을 알고 있는데, 작은 나무 세 그루를 놔두었다가….”

어린왕자가 내게 들려준 이야기를 바탕으로 그림을 그렸습니다. 나는 사람을 가르치려 드는 걸 좋아하지는 않습니다만, 바오밥나무가 얼마나 위험한지 조금은 이해할 수 있을 것 같았습니다. 누구든 길을 잃고 소행성에 갇히게 되었을 때 벌어질 수 있는 일이라, 딱 한 번 신념을 어기고 분명히 말하겠습니다.

“어린이 여러분, 바오밥나무를 조심합시다!”

여러분도 나처럼 이런 위험을 전혀 느끼지 못하고 살았을 것이기 때문에 나는 이 그림을 아주 열심히 그렸습니다. 비록 그림을 그리느라 힘들었습니다만, 위에서 말한 위험을 알리려는 목적이니 충분히 가치가 있습니다.
여러분은 이렇게 생각할지도 모릅니다.
'왜 이 책에 바오밥나무 그림처럼 멋지고 감동적인 다른 그림이 없지?'
대답은 간단합니다. 노력은 했습니다만, 이만큼 잘 그릴 수 없었습니다. 아마도 바오밥나무를 그릴 때, 막중한 사명감 때문에 기대 이상으로 잘 그린 모양입니다.

6

오, 어린왕자!

나는 조금씩 네 짧고 슬픈 삶의 비밀을 이해하게 되었단다. 오랜 시간, 너의 유일하고 고독한 즐거움이 노을을 바라보는 것이었지. 넷째 날 아침에 자세히 알게 되었지. 넌 이렇게 말했지.

"나는 노을이 좋아요. 지금 노을을 구경하러 가요."

"그러면 기다려야지."

내가 말했지.

"기다려요? 왜요?"

"노을을 보려면 해가 질 때까지 기다려야 하는 거야."

그 말을 듣고 너는 깜짝 놀랐지. 그리고 너는 웃었어. 너는 이렇게 말했지.

"난 아직도 내 별에 있는 줄 알았어요."

맞아. 사람들은 미국이 한낮이면 프랑스에서는 노을이 진다고 알고 있어. 만일 네가 한순간에 프랑스로 날아갈 수 있다면 한낮에도 바로 노을을 볼 수 있을 거야. 하지만 불행히도 그렇게 하기에 프랑스는 너무 멀리 있어, 귀여운 어린왕자야. 네 별에서는 한낮이든, 노을이든 네가 원하면 의자를 들고 몇 걸음만 걸으면 충분했지.

"어느 날…,"

넌 내게 말했지.

"난 마흔네 번이나 노을을 구경했어요!"

그리고 잠시 후 이렇게 덧붙였지.

"누군가 노을을 좋아한다면, 그 사람은 너무 슬픈 거예요."

내가 물었지.

"그럼 마흔네 번이나 노을을 구경하던 날, 넌 무척 슬펐구나?"

넌 아무 말도 하지 않았지.

7

다섯째 날, 늘 그런 것처럼 이번에도 양 덕택에 어린왕자의 비밀을 알아냈습니다. 아무런 내색도 없이 있다가, 느닷없이 오래도록 속으로 고민했던 문제인 양 내게 물었습니다.

"양이 작은 풀을 먹는다면 꽃도 먹지 않을까요?"

"양은 입이 닿으면 뭐든 먹어치워."

"가시가 있는 꽃도요?"

"아무렴, 가시가 달린 꽃도 상관없어."

"그럴 거면 가시는 왜 달린 거예요?"

나도 알 수가 없었습니다. 마침, 그때 나는 비행기 엔진을 단단히 죄고 있는 나사를 푸느라 끙끙대던 중이었습니다. 비행기가 심하게 고장 난 것이 분명했기에 신경이 곤두서 있었습니다. 게다가 마실 물도 조금밖에 남지 않아 최악의 상황에 빠질까봐 두려웠습니다.

"가시가 왜 달려있는 거예요?"

어린왕자는 궁금한 것이 있으면 끝까지 물었습니다. 그렇지만 나는 나사 때문에 짜증이 난 상태였습니다. 그래서 떠오르는 대로 대답을 했습니다.

"가시 따위의 쓸모는 없어. 꽃이 심술을 부리느라 그래!"

"아!"

잠시 침묵이 흘렀습니다. 어린왕자는 날 쏘아보며 화를 냈습니다.

"거짓말이야! 꽃이 약하고 착해. 그냥 자기를 보호하려고 그럴 뿐이에요. 꽃들은 그렇게 가시가 있으면 무서워 보일 거라 믿을 뿐이란 말이에요…."

나는 대답하지 않았습니다. 그때 나는 마음속으로 이렇게 말하고 있었습니다.

'나사가 꿈쩍도 않는다면 망치로 두드릴 수밖에 없겠어.'

다시 어린왕자가 성가시게 했습니다.

"꽃이 진짜로 그렇다고 생각한다면…."

"오, 제발! 그만, 그만, 그만, 그건 아무래도 상관없어. 난 그냥 생각난 대로 말했을 뿐이야. 너는 내가 지금 얼마나 중요한 일로 바쁜지 알기나 하니?"

어린왕자는 벼락이라도 맞은 듯 날 바라보았습니다.

"중요한 일이라고요?"

어린왕자는 그대로 나를 바라보았습니다. 나는 기름때가 낀 손으로 망치를 든 지저분한 몰골로 엔진을 향해 몸을 숙이고 있었습니다.

“아저씨도 다른 어른들과 똑같아!”

그 말을 듣고 좀 창피했습니다. 그렇지만 어린왕자는 사정 없이 쏘아댔습니다.

“착각하고 있는 거야. 잘 모르고 하는 얘기라고요.”

어린왕자는 정말 화가 많이 나 있었습니다. 바람결에 어린 왕자의 금빛 머리칼이 날렸습니다.

“빨간 얼굴을 하고 신사인 체하는 사람이 사는 별을 알고 있어요. 그 사람은 꽃을 봐도 웃지 않았어요. 별을 쳐다본 적도 없고 누군가를 사랑한 적도 없고요. 사는 내내 숫자를 세는 일밖에 몰랐어요. 그 사람은 온 종일 아저씨처럼 말했어요. ‘나는 중요한 일로 바빠!’ 그렇게 잘난 척을 했어요. 그는 사람이 아니에요. 그건 버섯이에요!”

“뭐?”

“버섯이라고요!”

단단히 화가 난 어린왕자의 얼굴이 창백해졌습니다.

“꽃들은 수백만 년 전부터 가시를 달고 살았어요. 수백만 년 동안 양은 늘 가시 달린 꽃을 먹었어요. 그런데, 꽃이 아무짝에 쓸모도 없는 가시를 왜 힘들게 기르는지 아는 게 중요하지 않다고요? 양과 꽃의 싸움이 중요하지 않다고요? 이런 일이 빨간 얼굴 뚱보 신사가 숫자를 세는 일보다 중요하지 않다고요? 내 별에서만 자라는 꽃 한 송이를 어느 날 아침, 양이 아무 생각 없이 한 입에 먹어치울지도 모르는데…, 아! 중요한 일이 아니라고요?"
어린왕자의 말이 계속되는 동안 하얗던 얼굴은 붉게 변했습니다.
"수많은 별들 중, 오직 하나의 별에서만 피는 꽃을 사랑하는 사람은 그 별을 바라만 보는 것으로도 행복할 거예요. 그 사람은 이렇게 생각할 거예요. '저기 어딘가에 나의 꽃이 있어.' 그런데 양이 꽃을 먹어치우면 한 순간에 그 사람의 별은 사라지는 거예요. 이래도 중요하지 않다고요?"
어린왕자는 더 이상 아무 말도 할 수 없었습니다. 울먹이느라 목이 메었기 때문이었습니다.

어둠이 내려앉았습니다. 나는 손에 들었던 연장을 내려놓았습니다. 망치도, 나사도, 목마름과 죽음조차도 지금 이 순간보다 중요하지는 않았습니다. 나의 별, 내가 살고 있는 지구 위, 거기에 위로를 받아야만 하는 어린왕자가 있었습니다. 나는 어린왕자를 품에 꼭 안고 말했습니다.
"네가 사랑하는 그 꽃은 위험에 빠지지 않을 거야. 내가 양에게 재갈을 그려줄게. 그리고 꽃 주변에 울타리도 그려줄 거야. 꼭 그려줄게….”

나는 어린왕자에게 무슨 말을 해야 할지 잘 몰랐습니다. 서툴고 어색하기만 했습니다. 어디서부터 어떻게 달래고 어루만져야 다시 사이좋게 지낼 수 있는지 알지 못했습니다.

눈물의 나라는 참 알 수 없는 곳입니다.

8

얼마 지나지 않아, 나는 그 꽃에 대해 더 자세히 알게 되었습니다. 어린왕자의 별에 살던 꽃들은 아주 소박했습니다. 한 겹 꽃잎을 달고 아무렇게나 피면서 아무도 성가시게 하지 않았습니다. 아침이면 풀숲에서 피었다가, 저녁이면 조용히 사라졌습니다. 그러던 어느 날, 어디선가 새로운 꽃씨 하나가 날아왔습니다. 어린왕자는 자기별에서는 본 적이 없는 새싹이라 자세히 살폈습니다. 여러분도 눈치챘겠지만, 처음 보는 바오밥나무일지도 몰랐기 때문이었습니다.

키 작은 나무는 더 이상 자라지 않고 이내 봉오리를 맺기 시작했습니다. 어린왕자는 커다란 꽃봉오리가 처음 맺히는 걸 보고는, 단번에 기적 같은 일이 펼쳐질 거란 걸 느꼈습니다. 하지만 그 꽃은 자신의 아름다움을 뽐낼 준비가 만족스럽지 않아 봉오리 속 초록 방에 머물렀습니다. 꽃은 조심스레 색깔을 골라 천천히 꽃잎을 한 장 한 장 껴입었습니다. 꽃은 벌판의 개양귀비처럼 아무렇게나 헝클어진 모습으로 태어나고 싶지 않았습니다. 자신의 아름다움이 가장 빛날 때를 고르고 싶었습니다. 아, 그 꽃은 새침데기 꽃이었습니다! 꽃의 신비로운 몸단장은 오래도록 계속되었습니다.

어느 아침, 해가 뜨는 순간에 꽃은 자기 모습을 드러냈습니다.

정성스레 공들인 몸단장이 끝났을 때, 꽃은 하품을 하며 이렇게 말했습니다.

"아! 이제야 겨우 일어났네. 꽃잎이 마구 헝클어졌어도 이해해주길 바랄게요."

어린왕자는 놀라움을 감출 수 없었습니다.

"와! 너 정말 예쁘구나!"

꽃이 우아하게 대답했습니다.

"그렇죠? 나는 해님과 같은 시간에 태어났어요."

어린왕자는 꽃이 겸손하지 않다는 걸 금방 눈치 챘습니다. 하지만 꽃은 정말 매혹적이고 아름다웠습니다!

"아마, 아침식사 시간인 것 같은데…,"

꽃은 잠시 뜸들이다 말을 했습니다.

"내게 필요한 것을 가져다주는 친절을 베풀어주지 않겠어요?"

어린왕자는 어리둥절한 채로 깨끗한 물이 담긴 물뿌리개를 찾아 나섰습니다. 그리고 곧바로 꽃에게 물을 주었습니다. 또한, 꽃은 곧바로 허영심으로 어린왕자를 괴롭히기 시작했습니다. 꽃의 허영심이 들통 났다면 감당하기 어려웠을 것입니다.

예를 들자면 이런 것입니다. 하루는 꽃이 자기 몸에 난 네 개의 가시에 대해 어린왕자에게 이야기했습니다.

"호랑이 따위가 발톱을 세워 덤벼보라죠!"

"내 별엔 호랑이가 없어."

어린왕자가 말했습니다.

"그리고, 어쨌든 호랑이는 풀을 먹지 않아."

"난 풀이 아니랍니다."

꽃이 우아하게 말했습니다.

"미안해…."

꽃이 이야기를 계속했습니다.

"난 호랑이 따위는 전혀 무섭지도 않아요. 하지만 바람은 정말 끔찍해. 바람막이 좀 만들어주지 않겠어요?"

'식물은 바람을 무서워하는구나, 불쌍한 운명이야.'

어린왕자는 이렇게 되뇌고는 속으로 생각했습니다.

'이 꽃은 무척 까다롭네?'

"그리고 밤에는 유리덮개를 씌워줘요. 당신이 사는 곳은 매우 춥군요. 내가 살던 곳은…."

하지만 꽃은 거기서 말문이 막혔습니다. 씨앗으로 날아왔기 때문에 다른 세상을 알 리가 없었습니다. 꽃은 뻔한 거짓말을 하다 말이 꼬여 난처해지자, 어린왕자의 신경을 다른 곳으로 돌리려고 콜록콜록 기침을 했습니다.

"바람막이는요?"

"그러지 않아도 네가 부탁했을 때, 찾으러 가려던 참이었어…."

꽃은 어린왕자가 미안한 마음을 갖도록 더 세게 콜록댔습니다.

그렇게 어린왕자는 꽃을 사랑하는 마음이 생겼음에도 꽃을 믿지 못하게 되었습니다. 어린왕자는 하찮은 말을 진지하게 받아들였습니다. 그것이 어린왕자를 불행하게 만들었습니다.

"꽃이 하는 말을 듣지 말았어야 했어요."

어느 날, 어린왕자는 내게 털어놓았습니다.

"사람은 꽃이 하는 말은 듣지 말고 그저 바라보며 향기만 맡아야 해요. 꽃은 향기로 별을 가득 채우고 있었는데도, 나는 꽃이 가진 고귀한 의미를 즐길 줄 몰랐어요. 날 언짢게 했던 발톱 이야기를 했을 때도, 그냥 안타까운 마음으로 부드럽게 대했어야 했는데…."

어린왕자가 말을 이었습니다.
"난 그때 아무 것도 몰랐어요. 말이 아니라 몸짓을 보고 알아챘어야 했어요. 꽃은 향기롭고 따스하게 날 감싸고 있었어요. 그때 꽃에게서 도망치지 말았어야 했어요…. 시시하고 서툰 속임수 뒤에 숨은 꽃의 사랑을 헤아렸어야 했어요. 꽃들은 변덕쟁이야! 너무 어려서 나는 어떻게 꽃을 사랑해야 하는지 몰랐던 거예요…."

9

나는 어린왕자가 철새들의 도움으로 별을 떠났다고 생각합니다. 떠나던 날, 어린왕자는 별을 깨끗이 청소했습니다. 어린왕자는 활활 타고 있는 화산을 조심스레 청소했습니다. 별에 있는 불붙은 화산 두 개는 아침식사를 데우는데 아주 편리했습니다. 불 꺼진 화산 한 개도 있었지만, 어린왕자의 말대로 언제 불이 붙을지 알 수 없는 일입니다. 그래서 불 꺼진 화산도 청소를 했습니다. 청소만 잘 하면

갑자기 터지지 않고 천천히 느긋하게 타올랐습니다. 화산이 터지는 모습은 마치 굴뚝 위에 치솟는 불길 같습니다.
지구에 사는 우리는 너무나 작아서 화산을 청소할 수가 없습니다. 그것이 늘 화산 때문에 말썽이 생기는 이유입니다.
그리고 어린왕자는 화산이 솟구쳐오를 때와 비슷한 느낌으로 마지막 바오밥나무 싹을 뽑았습니다. 다시는 돌아오지 않을 거라 생각해서 그런지, 늘 해오던 일들이 마지막 날 아침에는 무척 소중하게 느껴졌습니다. 꽃에게 마지막 물을 주고 유리덮개를 씌우려다 어린왕자는 눈물이 날 것만 같았습니다.
"잘 있어."
어린왕자는 꽃에게 말했습니다. 하지만 꽃은 대답하지 않았습니다.
"잘 있어."
어린왕자가 다시 말했습니다. 꽃은 기침을 했습니다. 감기 때문은 아니었습니다.
"나, 바보 같죠?"
마침내, 꽃이 어린왕자에게 말했습니다.
"용서를 바랄게요. 부디 행복하세요…."
꽃이 까다롭게 굴지 않아 어린왕자는 놀랐습니다. 유리덮개를 허공에 들고 멍하니 서 있었습니다. 꽃의 조용하고 다정한 말에 어린왕자는 당황했습니다.

"나는 당신을 사랑해요."

꽃이 어린왕자에게 말했습니다.

"그 동안, 그걸 몰랐다면 내 잘못이에요. 그런 건 중요하지 않아요. 하지만 당신도… 당신도 나처럼 바보예요. 행복하길 바랄게요…. 유리덮개는 그냥 거기 두세요. 나에겐 더 이상 필요가 없으니까."

"하지만 바람이 불면…."

"추위 따위는 아무렇지도 않아요…. 서늘한 밤바람이 날 기분 좋게 해줄 거예요. 난 꽃이잖아요."

"하지만 동물들이…."

"음, 나비와 사귈 수만 있다면 애벌레 두세 마리쯤은 견뎌야겠죠. 나비는 무척 아름답겠죠? 나비나 애벌레가 아니라면 누가 날 찾아줄까요? 당신은 멀리 있을 테니까…, 하지만 커다란 동물이 온다 해도 난 하나도 무섭지 않아요. 내겐 발톱이 있잖아요."

꽃은 해맑게 가시 네 개를 보여주며 말했습니다.

"이렇게 매달리지 말아요. 떠나기로 마음먹었잖아요. 어서 가세요!"

꽃은 어린왕자에게 눈물을 보이고 싶지 않았습니다. 꽃은 자존심이 강했습니다.

10

어린왕자는 줄지어 이웃한 소행성 325, 326, 327, 328, 329, 330호 근처에 도착했습니다. 어린왕자는 경험을 쌓기 위해 별들을 방문하기 시작했습니다.
첫 번째 별에는 왕이 살고 있었습니다. 왕의 상징인 자줏빛 담비가죽 옷을 입은 채, 간결하고 위엄 있는 왕좌에 앉아있었습니다.

"오! 백성이로구나!"

어린왕자가 다가오는 것을 보고 왕은 크게 외쳤습니다. 어린왕자는 속으로 생각했습니다.

'전에 본 적도 없는데 어떻게 나를 알아보는 거지?'

왕들에게 세상이란 얼마나 단순한 것인지 어린왕자는 미처 깨닫지 못했습니다. 왕들에게는 모든 사람이 신하인 것입니다.

"가까이 오너라. 짐이 백성을 자세히 보고 싶도다."

왕은 마침내 백성을 두었다는 커다란 자부심을 느끼며 이렇게 말했습니다. 어린왕자는 앉을만한 곳을 찾아보았지만 별 전체가 왕의 장엄한 담비 옷으로 뒤덮여있었습니다. 그래서 뻣뻣하게 서 있다가 피곤해져서 하품을 했습니다.

"왕 앞에서 하품을 하는 것은 예법에 어긋나므로 금하노라."

왕이 어린왕자에게 말했습니다.

"어쩔 수 없었어요. 참을 수가 없었어요."

난처해진 어린왕자가 대답했습니다.

"오랫동안 여행하느라 잠을 못 잤어요…."

"오, 그러면 하품하도록 허락하노라. 수년 간 하품하는 백성을 보지 못했도다. 하품은 짐에게 호기심의 대상이니라. 짐이 명하노니, 어여, 다시 하품을 해보거라."

"무서워요…. 다시 못하겠어요…."
어린왕자는 부끄러워져서 목소리가 기어들어갔습니다.
"어험! 어험!"
왕이 말했습니다.
"그럼 내가…, 아니, 짐이 명하노니, 어떤 때는 하품을 하고, 또 어떤 때는…."
왕은 말이 빨라지고 좀 짜증이 난 것 같았습니다. 왕의 마음속에는 권위를 존중받아야한다는 고집이 있기 때문이었습니다. 왕은 불복종을 용납하지 않았습니다. 왕은 그야말로 절대군주였습니다. 하지만 맘씨 좋은 사람이었기 때문에 왕의 명령은 이치에 맞게 내려졌습니다.
"내가 어떤 장군에게 명을 내리면,"
왕은 예를 들어 말하고 싶었습니다.
"내가 어떤 장군에게 바닷새로 변신하라고 명을 내렸다고 치자. 그런데 장군이 짐의 명을 따르지 않았다면, 그건 장군의 잘못이 아니라 짐이 부덕한 탓이다."
"앉아도 돼요?"
겁에 질린 어린왕자의 목소리가 들렸습니다.
"그렇게 하도록 명하노라."
왕은 대답을 하면서 위엄 있게 담비 옷자락을 들춰주었습니다. 그런데 어린왕자는 별이 무척 작은데 왕은 대체 무엇을 다스리는지 궁금했습니다.
"전하,"
어린왕자가 왕에게 말했습니다.
"질문을 해도 되겠어요?"
"질문을 하도록 명하노라."
"전하는 무엇을 다스리세요?"
"모든 것을 다스리노라."
짧고 위엄 있게 왕이 대답했습니다.
"모든 것을 다스린다고요?"
왕은 몸짓으로 자기별과 다른 별들뿐만 아니라 모든 별들을 가리켰습니다.
"전부 다요?"
어린왕자가 물었습니다.
"전부 다."
왕이 대답했습니다. 왕의 통치력은 일부가 아니라 우주 전체였습니다.
"그럼, 별들도 전하의 명을 받들어요?"
"아무렴, 그렇고말고, 냉큼 듣지. 짐을 거역하는 무리는 용서치 않노라."

왕이 말했습니다. 그런 권력은 어린왕자에게 놀라운 것이었습니다. 만약 어린왕자가 그런 절대 권력을 갖는다면 의자를 한 번도 옮기지도 않고 하루에 마흔네 번, 일흔두 번, 백 번, 심지어 이백 번이나 노을을 지켜볼 수 있기 때문이었습니다. 그러자 어린왕자는 떠나온 별이 생각나 조금 슬퍼졌습니다. 용기를 내 왕에게 부탁을 했습니다.

"노을을 보고 싶어요…. 친절을 베풀어주셔서…, 해가 지도록 명령해 주세요."

"짐이 어떤 장군에게 나비처럼 이 꽃에서 저 꽃으로 날아보라고 명하거나, 슬픈 드라마를 쓰라고 명하거나, 바닷새로 변신하라고 명했는데도 장군이 짐의 명을 따르지 않는다면 누구의 잘못이겠느냐? 짐이냐, 장군이냐?"

왕이 물었습니다.

"전하요."

어린왕자는 주저하지 않고 말했습니다.

"맞다. 의무를 요구할 때는 할 수 있는 것만을 요구해야 한다."

왕이 말을 이었습니다.

"인정받을 수 있는 권위는 무엇보다 이해할 수 있는 것이어야 한다. 만약 백성들에게 물에 빠져 죽으라고 한다면 백성들은 폭동을 일으키겠지. 짐이 복종을 요구할 권리가 있는 이유는 이해할 수 있는 것이기 때문이다."

"그럼, 노을은요?"

어린왕자는 다시금 왕을 재촉했습니다. 물어보기로 한 질문은 절대 잊지 않는 어린왕자였습니다.

"곧 노을을 보게 될 것이다. 짐이 조금 있다가 명을 내리겠다. 그런데 짐의 통치방법이 있으니, 알맞은 조건이 될 때까지 기다리겠노라."

"언제까지요?"

어린왕자가 물었습니다.

"어험! 어험!"

왕은 대답에 앞서 두꺼운 달력을 먼저 살폈습니다.

"어험! 어험! 그러니까, 그 시간은…, 대충…, 오늘 저녁 여덟 시에서…, 이십 분쯤 전이 되겠구나. 그때가 되면 짐이 얼마나 통치를 잘 하는지 보게 될 것이다."

어린왕자는 하품을 했습니다. 노을을 볼 수 없어서 마음이 상했습니다. 동시에 어린왕자는 슬슬 지루해지기 시작했습니다.

"이 별에서 더 이상 내가 할 일이 없어요."

어린왕자가 왕에게 말했습니다.

"다시 여행을 떠나야겠어요."

"가지 마."

백성을 두게 되어 아주 자랑스러웠던 왕이 말했습니다.

"가지 마. 내가 장관 시켜줄게."

"어떤 장관이요?"

"음…, 법무장관!"

"그런데 여긴 재판 받을 사람이 없잖아요!"

"그야 모를 일이지."

왕이 어린왕자에게 말했습니다.

"난 아직도 내 왕국을 다 둘러보지 못했어. 너무 늙다보니, 마차를 둘 자리도 없고 걷는 건 너무 피곤해."

"난 벌써 다 둘러보았어요."

이렇게 말하며 어린왕자는 돌아서서 다시 한 번 그 별의 반대편까지 살폈습니다. 거기도 여기처럼 아무도 없었습니다.

"그럼 네 자신을 재판하거라."

왕이 말했습니다.

"세상에서 가장 어려운 일이지. 다른 사람을 판단하는 것보다 자기를 판단하는 일이 훨씬 어렵다. 네 자신을 올바르게 판단한다면 진정한 지혜를 갖췄다고 할 수 있지."

"맞아요. 그런데 판단은 어디서든 할 수 있어요. 꼭 여기서 할 필요는 없잖아요."
어린왕자가 말했습니다.
"험! 험!"
왕이 말했습니다.
"짐은 짐의 별 어딘가에 늙은 쥐 한 마리가 있다는 믿을만한 증거가 있도다. 밤마다 소리가 들리노라. 그러니 그대는 그 늙은 쥐를 재판하라. 종종 쥐에게 사형선고를 내려도 좋다. 그 쥐의 운명의 그대의 재판 결과에 달려있다. 하지만 쥐에게 특별사면을 내려도 좋다. 이 별에서 재판할 수 있는 오직 하나뿐인 쥐니까."
"나는 누구에게도 사형선고를 내리기 싫어요. 그리고 지금 떠나야겠어요."
어린왕자가 대답했습니다.
"안 돼."
왕이 말했습니다. 어린왕자는 이미 떠날 준비가 되어 있었습니다. 하지만 늙은 군주를 마음 아프게 하고 싶지는 않았습니다.
"전하께서 당장 복종하길 원하시면…,"
어린왕자가 말했습니다.

"제게 이해할 수 있는 명령을 내려주세요. 예컨대, 일 분 안에 떠나라고 명하시면 제가 기꺼이 받들겠어요."

왕은 아무런 말이 없었습니다. 어린왕자는 잠시 망설이다 한숨을 쉬고는 작별인사를 했습니다.

"그대를 짐의 외교관으로 임명하노라!"

왕이 서둘러 외쳤습니다. 권위에 찬 위엄 있는 목소리였습니다.

'어른들은 이해할 수 없어.'

어린왕자는 속으로 이렇게 말하며 여행을 계속했습니다.

11

두 번째 행성에는 잘난체 아저씨가 살고 있었습니다.

“오오! 저기 나를 우러러봐줄 사람이 오고 있어!”

잘난체 아저씨는 멀리서 어린왕자가 오는 걸 보더니 크게 소리쳤습니다. 잘난체 하는 사람은 다른 사람들을 모두 우러러보기 위해 태어났다고 여깁니다.

"안녕하세요, 아저씨는 이상한 모자를 쓰고 있네요."
어린왕자가 말했습니다.
"이건 인사모자다."
잘난체 아저씨가 말했습니다.
"사람들이 내게 환호할 때, 나는 답례로 모자를 들어 보이지. 근데 지지리도 운이 없구나, 아무도 이 길로 지나다니지 않잖아."
"예?"
어린왕자는 잘난체 아저씨가 무슨 말을 하는지 알 수가 없었습니다.
"박수를 쳐 봐라, 이렇게 한 쪽 손을 다른 손에 마주치는 거다."
잘난체 아저씨가 어린왕자에게 방법을 가르쳐주었습니다.
어린왕자는 박수를 쳤습니다. 잘난체 아저씨는 답례로 점잖게 모자를 들어보였습니다.
'왕이 사는 별보다 여기가 훨씬 재미있어.'
어린왕자는 이렇게 생각했습니다. 그래서 자꾸만 박수를 쳤습니다. 잘난체 아저씨는 답례로 계속 모자를 들어보였습니다. 오 분 동안 그렇게 박수를 치고 나자, 어린왕자는 놀이가 시시해지고 점점 지쳐갔습니다.

"모자를 들지 않게 하려면 어떻게 해야 돼요?"

잘난체 아저씨는 어린왕자의 말을 듣지 않았습니다. 잘난체 하는 사람들은 칭찬이 아니면 듣질 않습니다.

"너 정말로 날 우러러보는 게 맞냐?"

잘난체 아저씨가 어린왕자에게 물었습니다.

"우러러보는 게 뭐예요?"

"우러러본다는 건, 네가 이 별에서 내가 제일 잘생기고, 옷도 잘 입고 부자에다가 똑똑한 사람으로 생각한다는 거다."

"그런데 이 별에는 아저씨 혼자잖아요!"

"내가 얘기한 것처럼 날 우러러봐줘."

"아저씨를 우러러볼게요."

어린왕자는 어깨를 살짝 으쓱하며 이렇게 말했습니다.

"그런데, 이렇게 하면 아저씨한테 무슨 소용이 있어요?"

그리고 어린왕자는 길을 떠났습니다.

'어른들은 확실히 이상해.'

이렇게 생각하며 어린왕자는 여행을 계속했습니다.

12

다음 행성에는 술을 많이 마시는 술고래 아저씨가 살고 있었습니다. 그 별의 여행은 무척 짧았지만, 어린왕자에게 깊은 슬픔을 안겨주었습니다.

"여기서 뭐 하세요?"

어린왕자는 술이 가득 찬 병과 빈병을 잔뜩 늘어놓고 조용히 앉아있는 술고래 아저씨에게 말했습니다.

"술 마시고 있지."

술고래 아저씨가 슬픈 목소리로 말했습니다.

"왜 술을 마셔요?"

어린왕자가 물었습니다.
"잊고 싶어서."
술고래 아저씨가 대답했습니다.
"뭘 잊어요?"
어린왕자가 불쌍하게 바라보며 말했습니다.
"창피한 일을 잊고 싶어."
술고래 아저씨가 머리를 가로저으며 털어놓았습니다.
"뭐가 창피해요?"
어린왕자는 돕고 싶어서 물어보았습니다.
"술 마시는 게 창피해!"
술고래 아저씨는 이 말을 끝으로 입을 굳게 닫고 깊은 침묵에 빠졌습니다. 어린왕자는 수수께끼 같은 기분으로 그 별을 떠났습니다.
"어른들은 정말정말 이상해."
이렇게 생각하며 어린왕자는 여행을 계속했습니다.

13

네 번째 행성은 사업가의 별이었습니다. 사업가는 너무 바빠서 어린왕자가 왔는데도 고개조차 들지 못할 정도였습니다.

"안녕하세요."

어린왕자가 인사하며 말했습니다.

"담뱃불이 꺼졌어요."

"셋 더하기 둘은 다섯. 다섯 더하기 일곱은 열둘. 열둘 더

하기 셋은 열다섯. 안녕? 열다섯 더하기 일곱은 스물둘. 스물둘 더하기 여섯은 스물여덟. 불붙일 시간도 없어. 스물여섯 더하기 다섯은 서른하나. 쳇! 그러면 오억 일백육십이만 이천칠백삼십일."

"뭐가 오억이에요?"

"엥? 너 아직 거기 있었니? 오억 일백만…, 빈둥댈 시간이 없어…, 할 일이 태산이야! 난 지금 아주 중요한 일을 하고 있다고. 시시한 일로 노닥거릴 시간이 없어. 둘 더하기 다섯은 일곱…."

"뭐가 오억 일백만이에요?"

한 번 질문을 하면 포기한 적이 없는 어린왕자가 다시 물었습니다. 사업가가 고개를 들었습니다.

"지난 오십사 년간 이 별에 살면서 딱 세 번 방해를 받았다. 첫 번째는 이십이 년 전에 얼빠진 거위가 길을 잃고 떨어졌을 때, 어찌나 요란하게 푸드덕거리는지 기록이 네 군데나 틀렸어. 두 번째는 칠 년 전에 관절염이 도졌을 때다. 충분히 운동을 하지 않은 탓이지. 난 빈둥댈 시간이 없었기 때문이다. 그리고 세 번째는… 그래, 바로 지금이야! 알겠냐? 내가 어디까지 했더라…, 오억 일백만…."

"뭐가 몇 백만이에요?

사업가는 대답을 하기 전에는 끝날 가망이 없다는 걸 깨달았습니다.

"저기 빽빽하게 작은 거 말이다. 가끔 하늘에서 볼 수 있는 거."

"파리요?"

"아니, 조그맣게 반짝이는 거."

"벌이요?"

"아, 아니. 게으름뱅이에게 헛된 꿈을 꾸게 만드는 작고 반짝이는 거 말이다. 난 아주 중요한 일을 하는 사람이라 내 인생에서 헛된 꿈 따위를 꿀 시간은 없지만 말이다."

"아! 별이요?"

"그렇지. 별."

"그런데 오억 개의 별을 세서 뭘 하려고요?"

"오억 일백육십이만 이천칠백삼십일. 나는 중요한 일을 하는 사람이야. 정확하지."

"별을 세서 뭘 하려고요?"

"뭘 하냐고?"

"네."

"아무것도 안 해. 그냥 소유하는 거야."

"별을 소유한다고요?"

"그래."

"내가 만났던 왕은…."

"왕은 소유하지 않아, 통치를 할 뿐이지. 소유와 통치는 서로 다른 일이야."

"별을 소유하면 뭐가 좋아요?"

"날 부자로 만들어주거든."

"부자가 되면 뭐가 좋아요?"

"부자가 되면 누가 발견하든 다른 별들을 더 살 수 있지."

'이 사람도 불쌍한 술고래 아저씨랑 비슷하구나….'

어린왕자는 속으로 생각했습니다.

그렇지만 어린왕자는 좀 더 질문을 했습니다.

"어떻게 별을 소유하는 게 가능해요?"

"별은 누구 거냐?"

사업가가 퉁명스럽게 대꾸했습니다.

"모르겠어요. 누구의 것도 아니잖아요."

"그러니까 내 것이야, 그런 생각을 한 첫 번째 사람이니까."

"다른 건 필요 없고요?"

"아무렴. 네가 주인 없는 다이아몬드를 발견했다고 치자, 그럼 네 것이 되는 거야. 네가 주인 없는 섬을 발견하면 그것도 네 것이야. 남들이 전에 생각지 못한 걸 생각해내면…, 이제 무슨 얘긴지 알겠지? 바로 네 것이 되는 거야. 저 별들은 내 것이야. 왜냐하면, 나 외에는 별을 갖겠다고 생각한 사람이 없었으니까."

"그렇군요. 맞아요."

어린왕자가 말했습니다.

"그러면 별로 뭘 할 거예요?"

"관리를 해야지."

사업가가 대답했습니다.

"세고 또 세야지. 아주 힘든 일이야. 하지만 괜찮아, 나는 중요한 일을 하도록 타고난 사람이니까."

어린왕자는 그래도 뭔가 이해할 수 없었습니다.

"난 비단 목도리가 있으면 목에 두르고 다녀요. 꽃을 기르면 꽃을 꺾어 가지고 다닐 수가 있어요. 그런데 아저씨는 하늘의 별을 딸 수가 없잖아요."

"그렇지. 하지만 나는 그걸 은행에 넣어둬."

"그게 무슨 말이에요?"

"작은 종이에 별의 숫자를 적은 다음에, 그 종이를 은행 금고에 넣고 잠가버린다는 뜻이다."

"그게 전부예요?"

"그거면 충분해."

사업가가 말했습니다.

'재미있는 일이네.'

어린왕자는 생각했습니다.

'시적인 일이야. 하지만 그리 중요한 일은 아닌 것 같아.'

어린왕자가 생각하는 중요한 일이란 어른들과 아주 다른 것이었습니다. 어린왕자는 이야기를 계속했습니다.

"내게는 매일 물을 주는 꽃 한 송이가 있어요. 매주 청소를 하는 화산 세 개도 가지고 있고요. 그 중에 불 꺼진 화산이 한 개 있는데 그것도 청소를 해요. 나중 일은 알 수가 없으니까요. 그렇게 하면, 내가 가지고 있는 화산과 꽃에게 도움이 돼요. 하지만 아저씨가 하는 일은 별에게 아무 도움이 안 돼요…."

사업가는 말을 하려고 입을 열었지만 할 말이 없었습니다.

어린왕자는 길을 떠났습니다.

"어른들은 하나 같이 다 이상해."

이렇게 혼잣말을 하며 어린왕자는 여행을 계속했습니다.

14

다섯 번째 별은 아주 독특했습니다. 지금껏 본 별들 중에 제일 작았습니다. 거기에는 가로등 한 개와 가로등지기 한 사람만 겨우 서 있을 자리밖에 없었습니다.

텅 빈 하늘 가운데에 사람도 집도 없는데 가로등과 가로등지기가 무슨 필요가 있는지, 어린왕자는 도무지 알 수가 없었습니다. 그러나 이렇게 생각했습니다.

'이 사람은 바보일지도 몰라. 하지만 왕과 잘난체 아저씨,

사업가와 술고래 아저씨만큼 바보는 아니겠지. 이 사람이 하는 일에는 적어도 어떤 의미는 있을 거야. 가로등을 켜면 별이나 꽃에게 다시금 생명을 불어넣고 가로등을 끄면 꽃과 별을 잠들게 하는 것처럼 말이야. 정말 멋진 일이야. 멋지고 정말 쓸모 있는 일이야.'

행성에 도착한 어린왕자는 가로등지기에게 공손히 인사했습니다.

"안녕하세요. 그런데 왜 방금 가로등을 껐어요?"

"규칙이야. 좋은 아침."

가로등지기가 대답했습니다.

"무슨 규칙이요?"

"가로등을 끄는 규칙. 잘 자거라."

가로등지기는 다시 가로등을 켰습니다.

"그런데 왜 금방 가로등을 다시 켰어요?"

"규칙이야."

가로등지기가 대답했습니다.

"이해할 수가 없어요."

어린왕자가 말했습니다.

"이해할 필요 없어."

가로등지기가 말했습니다.

"규칙은 규칙이야. 좋은 아침."

그리고는 다시 가로등을 껐습니다. 가로등지기는 붉은 사각무늬 손수건으로 이마를 닦았습니다.

"끔찍한 일이야. 옛날엔 할만 했는데. 아침이면 가로등을 끄고 저녁이면 불을 밝혔지. 대낮 휴식시간에는 쉬고 저녁 휴식시간에는 잠을 잤어."

"그때랑 규칙이 다른 건가요?"

"규칙은 바뀌지 않았어."

가로등지기가 말했습니다.

"그게 문제야! 해가 갈수록 별은 빨리 도는데 규칙은 바뀌지 않았어!"

"그래서 어떻게 됐어요?"

어린왕자가 물었습니다.

"그래서…, 지금은 별이 일 분마다 도니까, 더 이상 일 초도 쉴 수 없게 되었어. 일 분마다 가로등을 켰다 껐다해야 해!"

"아저씨가 사는 별은 하루가 일 분이라니 참 재미있어요!"

"하나도 재미없어!"

가로등지기가 말했습니다.

"우리가 얘기를 나누는 사이에 벌써 한 달이나 지났다고."

"한 달이요?"

"그래, 한 달. 삼십 분이면 삼십 일. 잘 자거라."

어린왕자는 가로등지기를 지켜보는 동안, 규칙을 성실히 지키는 그가 마음에 들었습니다. 어린왕자는 노을을 보기 위해 하루를 바꿔 의자를 옮기던 기억이 났습니다. 어린왕자는 가로등지기를 돕고 싶었습니다.

"필요할 땐 언제든 쉴 수 있는 방법을 알려줄게요."

어린왕자가 말했습니다.

"나는 늘 쉬고 싶어."

가로등지기가 말했습니다. 성실한 동시에 게으른 사람만이 이렇게 말할 수 있습니다. 어린왕자는 설명을 했습니다.

"이 별은 아주 작으니까 세 발짝만 성큼성큼 걸으면 다 걸을 수 있어요. 언제나 해가 떠 있게 하려면 그냥 천천히 걸으면 돼요. 쉬고 싶으면 걸어요. 그러면 필요한 만큼 낮이 계속되잖아요."

"썩 좋은 생각이 아니구나."

가로등지기가 말했습니다.

"잠자는 게 내 유일한 낙이거든."

"그럼, 어쩔 수 없군요."

어린왕자가 말했습니다.

"어쩔 수 없지. 좋은 아침."

가로등지기가 가로등을 끄며 말했습니다.
어린왕자는 여행을 계속하며 혼잣말을 했습니다.
“전에 만난 왕과 잘난체 아저씨, 술고래 아저씨와 사업가 모두가 저 아저씨를 비웃겠지. 하지만 저 아저씨는 내가 본 사람들 가운데 바보가 아닌 유일한 사람이야. 그건 아마 이기적이지 않기 때문일 거야.”
어린왕자는 아쉬운 한숨을 쉬고 다시 혼잣말을 했습니다.
“저 아저씨는 친구가 되고 싶은 단 한 사람이야. 하지만 별이 너무 작아 두 사람이 같이 있을 자리가 없어….”
어린왕자는 그 별을 떠나며, 차마 말하지 못한 가장 아쉬운 점은 천사백사십 번이나 볼 수 있었던 노을의 축복이었습니다!

15

여섯 번째 별은 가로등지기의 별보다 열 배나 컸습니다. 거기에는 노신사가 두꺼운 책을 쓰며 살고 있었습니다.

"오, 이것 보게! 탐험가가 오고 있구나!"
노신사는 어린왕자가 다가오는 것을 보고 소리쳤습니다.
어린왕자는 탁자에 앉으며 숨을 몰아쉬었습니다. 너무 멀리 많은 여행을 했기 때문이었습니다.
"어디서 오는 게냐?"

노신사가 어린왕자에게 말했습니다.

"이 큰 책은 뭐예요?"

어린왕자가 말했습니다.

"그리고 뭘 하고 계세요?"

"난 지리학자란다."

노신사가 말했습니다.

"지리학자가 뭐예요?"

어린왕자가 물었습니다.

"지리학자란 세상의 모든 바다와 강, 마을과 산과 사막을 연구하는 사람이란다."

"재미있겠어요."

어린왕자가 말했습니다.

"드디어 여기에서 진짜 일을 하는 사람을 만났군요!"

어린왕자는 지리학자의 별을 둘러보았습니다. 한 번도 본 적 없는 장엄하고 멋진 별이었습니다.

"이 별은 무척 예뻐요."

어린왕자가 말했습니다.

"바다도 있나요?"

"말해줄 수가 없구나."

지리학자가 말했습니다.

“그러면 마을과 강과 사막은요?”

“그것도 말해줄 수가 없구나.”

“할아버지는 지리학자잖아요!”

“분명히 그렇단다. 하지만 나는 탐험가가 아니야. 이 별에는 전속 탐험가가 없어. 밖에 나가 마을과 강과 산과 바다와 사막을 조사하는 건 지리학자의 일이 아니야. 지리학자의 일은 워낙 중요해서 밖에 나돌아 다닐 시간이 없어. 책상머리를 떠나지 못해. 대신, 지리학자는 연구를 위해 탐험가를 쓴단다. 탐험가에게 궁금한 걸 묻고 탐험가가 탐사했던 일을 기록하는 게야. 그러다 흥미를 끄는 내용이 있으면 지리학자는 조사위원회에 탐험가의 도덕성에 대한 조사를 의뢰한단다.”

“왜요?”

“탐험가가 거짓말을 하면 지리학자의 책이 엉망이 되지 않겠느냐. 그래서 탐험가가 술을 많이 마시는지도 조사를 하는 게야.”

“왜요?”

어린왕자가 물었습니다.

“술꾼 눈에는 세상이 두 개로 보인단다. 지리학자가 하나뿐인 산을 둘로 기록할 수도 있거든.”

"그런 사람이 하나 있어요."

어린왕자가 말했습니다.

"그 사람은 좋지 않은 탐험가가 되겠군요."

"그럴 게다. 탐험가의 도덕성이 괜찮으면 조사위원회가 발견을 인정하는 게야."

"조사위원회가 확인하러 가나요?"

"아니다. 너무 번거로운 일이니 위원회는 탐험가에게 증거를 가져오라고 하지. 예를 들어, 큰 산을 발견했는데 의심이 들면 탐험가에게 돌아오는 길에 큰 돌들을 가져오라고 시키지."

갑자기 지리학자가 흥분해서 다그쳤습니다.

"그런데, 너…, 너 다른 곳에서 왔지! 탐험가인 게로구나! 네 별을 나에게 설명해 보거라!"

그리고는 큰 기록 책을 펼치더니 지리학자는 연필을 깎았습니다. 탐험가의 이야기는 먼저 연필로 적어놓습니다. 그리고 지리학자는 잉크로 적기 전에 탐험가가 증거를 가져오기를 기다립니다.

"준비되었느냐?"

지리학자가 잔뜩 기대하며 말했습니다.

"아, 내가 살던 곳은요."

어린왕자가 말했습니다.

"별 다를 게 없어요. 모든 게 작아요. 화산 세 개가 있는데, 두 개는 불붙은 화산이고 하나는 불이 꺼져있어요. 그렇지만 어찌 될지 누가 알겠어요."

"그건 누구도 알 수 없지."

지리학자가 말했습니다.

"꽃도 하나 있어요."

"꽃은 기록하지 않는다."

지리학자가 말했습니다.

"왜 그렇죠? 그 꽃은 내 별에서 가장 예쁜데요!"

"꽃은 기록하지 않아. 꽃은 시한부 존재니까."

지리학자가 말했습니다.

"시한부 존재가 무슨 뜻이에요?"

"지리책은 세상의 책 중에서 가장 중요한 책이야. 옛날 지리책이란 있을 수가 없다. 산이 위치를 움직이는 경우는 아주 드물지. 바닷물의 양이 줄어드는 경우도 거의 없다. 지리학자는 영원한 존재만 기록하는 게야."

"하지만 불 꺼진 화산도 다시 불이 붙을 수 있잖아요."

어린왕자가 말을 가로막았습니다.

"그런데 시한부 존재가 무슨 뜻이에요?"

"화산에 불이 있든 없든 지리학자에겐 상관없다. 중요한 건 산이야. 그건 변하지 않거든."
"시한부 존재가 무슨 뜻이에요?"
한 번 한 질문은 결코 포기한 적이 없는 어린왕자가 다시 물었습니다.
"그 말은 곧 사라질 운명이란 뜻이다."
"그럼 내 꽃도 곧 사라질 운명이란 거예요?"
"아무렴 그렇지."
'내 꽃은 시한부 존재구나. 그리고 겨우 네 개의 가시로 세상과 맞서고 있는데 나는 꽃을 별에 혼자 내버려두고 왔어!'
어린왕자는 마음속으로 이렇게 말하며 처음으로 후회를 했습니다. 하지만 다시 마음을 다잡았습니다.
"가 볼만한 별이 있으면 얘기해 주시겠어요?"
어린왕자가 물었습니다.
"지구에 가봐라."
지리학자가 대답했습니다.
"듣자하니, 괜찮다더구나."
어린왕자는 꽃을 생각하며 길을 떠났습니다.

16

그렇게 일곱 번째 별인 지구에 왔습니다.
지구는 놀라운 별이었습니다! 지구는 백열한 명의 왕과– 여기에는 작은 부족의 왕도 포함되어 있습니다– 칠천 명의 지리학자, 구십만 명의 사업가, 칠백오십만 명의 술고래들, 삼억 천백만 명의 교만한 사람들, 즉 이십억 명의 어른들이 살고 있는 곳입니다.
지구의 크기를 짐작할 만한 이야기가 있습니다. 지구에 전기가 발명되기 전에는 여섯 개 대륙에 가로등의 불을 밝히기 위해 사십육만 이천오백열한 명의 가로등지기가 필요했습니다. 조금 떨어져서 보면 놀라운 장관이 펼쳐졌습니다. 가로등지기들이 열을 맞추어 떼 지어 움직이는 모습은 마치 오페라의 발레를 보는 것과 같았습니다.

먼저, 뉴질랜드와 호주의 가로등지기들이 등장하는 차례입니다. 그들이 가로등을 밝히고 잠이 들면 다음으로 중국과 시베리아의 가로등지기들이 경쾌한 춤사위로 등장했다가 무대의 가장자리로 물결치며 사라집니다. 다음은 러시

아와 인도의 가로등지기 차례로 이어지고 아프리카와 유럽, 남아메리카와 북아메리카의 순으로 이어졌습니다. 가로등지기들이 무대에 오르는 순서는 한 번도 틀린 적이 없었을 것입니다. 아주 멋진 광경이었겠지요.

오직 북극과 남극에서 각각 하나의 가로등을 책임지는 두 사람만이 일 걱정 없이 편했을 것입니다. 일 년에 두 번만 바쁘기 때문입니다.

17

사람은 재치를 발휘하려고 가끔 진실을 외면하기도 합니다. 나는 가로등지기 얘기를 할 때 살짝 꾸며댔습니다. 그러다 지구를 알지 못하는 사람에게 잘못된 생각을 퍼뜨릴 수 있다는 사실을 깨달았습니다. 사람은 지구 위의 아주 작은 공간만을 차지하여 살고 있습니다. 지구상에 사는 이십억 인구를 집회 때처럼 한 데 모아놓고 쌓으면 이십사 평방킬로미터의 공간에 다 들어갑니다. 온 인류를 태평양의 작은 섬에 구겨 넣을 수 있다는 뜻입니다.

이런 얘기를 어른들에게 하면 분명히 믿지 않을 것입니다. 어른들은 굉장히 넓은 공간을 차지하고 있다고 생각합니다. 그들은 스스로를 바오밥나무만큼이나 중요하다는 환상을 가지고 삽니다. 그런 어른들을 설득하려면 어른들의 셈법을 사용해야 합니다. 어른들은 숫자를 좋아하니까 그렇게 하면 맘에 들어 할 것입니다. 하지만 이런 쓸데없는 일로 시간을 낭비하지 마십시오. 불필요한 일입니다. 나는 그 사실을 잘 알고 있기 때문에 날 믿어도 좋습니다.

어린왕자가 지구에 도착했을 때, 한 사람도 볼 수가 없어서 몹시 당황했습니다. 어린왕자는 혹시 다른 별에 잘못 온 것은 아닌지 두려웠습니다. 달빛처럼 빛나는 금빛 똬리가 모래 속에서 빛났습니다.

"안녕?"

어린왕자가 공손히 인사를 건넸습니다.

"안녕."

뱀이 말했습니다.

"여긴 어디니?"

어린왕자가 물었습니다.

"지구야. 아프리카지."

뱀이 대답했습니다.

"아! 그럼 지구에는 사람이 살지 않니?"

"여긴 사막이야. 사막엔 사람이 살지 않는다. 지구는 굉장히 넓어."

뱀이 말했습니다. 어린왕자는 바위에 걸터앉아 하늘을 쳐다보며 말했습니다.

"별이 하늘에서 빛나는 건 언젠가 우리가 다시 자기별을 되찾기 위해 그런 건 아닐까 생각해…. 내 별을 봐. 저기 있어. 하지만 너무 멀리 있어."

"네 별은 멋져, 왜 여기까지 오게 되었지?"

뱀이 말했습니다.

"꽃과 좋지 않은 일이 있었어."

어린왕자가 말했습니다.

"아!"

뱀이 말했습니다. 그리고 둘 다 아무 말도 하지 않았습니다.

"사람들은 어디에 있어?"

어린왕자가 다시 말했습니다.

"사막은 쓸쓸해…."

"사람들 사이에 있어도 쓸쓸하긴 마찬가지야."

뱀이 말했습니다. 어린왕자는 잠시 뱀을 바라보았습니다.

"넌 희한하게 생겼어."

어린왕자가 말했습니다.

"손가락만큼 가늘어."

"그렇지만 어떤 왕의 손가락보다도 강하지."

뱀이 말했습니다. 어린왕자가 미소를 지었습니다.

"넌 그리 강하지 않아. 발도 없잖아. 멀리 갈 수도 없어…."

"나는 널 아무리 멀리 갈 수 있는 배보다도 더 먼 곳으로 데려다줄 수 있어."

뱀은 황금발찌처럼 어린왕자의 발목을 감고 올랐습니다.

"누구든 날 건드리면, 나는 그를 애초에 태어난 땅 속 깊은 곳으로 다시 돌려보내."

뱀이 말을 이었습니다.

"하지만 넌 순수하고 진실하구나. 게다가 별에서 왔고…."

어린왕자는 아무 말도 하지 않았습니다.

"넌 날 마음 약하게 만드는구나. 넌 이 딱딱한 지구에선 너무 약해."

뱀이 계속 말을 했습니다.

"언젠가 네가 너무나 별이 그리워진다면 내가 도울 수 있을 거야. 약속할게."

"아! 무슨 말인지 알겠어."

어린왕자가 말했습니다.

"그런데 넌 왜 항상 수수께끼처럼 말하는 거니?"

"그 수수께끼의 답을 알고 있으니까."

그렇게 뱀이 말했습니다. 그리고 둘은 아무 말도 하지 않았습니다.

18

어린왕자는 사막을 지나다 꽃 한 송이를 만났습니다. 세 장의 꽃잎을 가진 평범한 꽃이었습니다.

"안녕?"

어린왕자가 인사를 했습니다.

"안녕."

꽃도 인사를 했습니다.

"사람들은 어디에 있니?"

어린왕자가 공손히 물었습니다. 꽃은 사막의 상인들이 지나가는 걸 딱 한 번 본 적이 있었습니다.

"사람들?"

꽃이 되물었습니다.

"아마 그 종족은 여섯이나 일곱쯤 되는 것 같아. 몇 해 전에 보긴 했는데 어디 가야 만날지는 아무도 모를 걸? 바람이 전부 날려버렸거든. 걔네는 뿌리도 없지 뭐니? 사는 게 꽤나 고달플 거야."

"잘 있어."

어린왕자가 작별인사를 했습니다.

"잘 가."

꽃이 말했습니다.

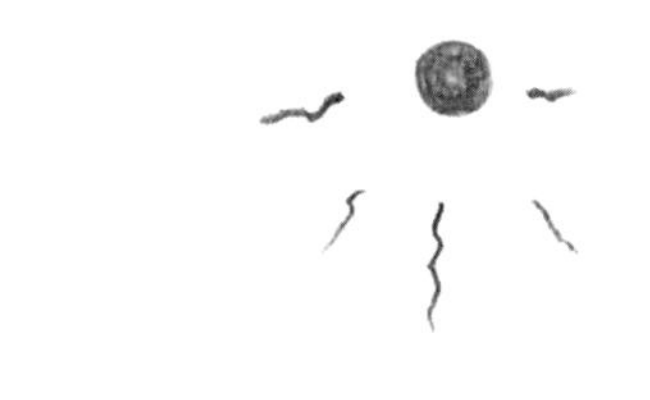

19

그 다음, 어린왕자는 높은 산에 올랐습니다. 어린왕자가 알고 있는 산은 무릎 높이쯤 오는 작은 분화구 세 개가 전부였습니다. 가끔은 불 꺼진 화산을 발판으로 쓰곤 했습니다.

"이 산은 정말 높구나."

어린왕자가 혼잣말을 했습니다.

"사람들과 이 별 전체를 한눈에 볼 수 있겠지…?"

하지만 어린왕자는 바늘처럼 뾰족한 바위 봉우리를 빼곤 아무 것도 볼 수 없었습니다.

"안녕?"

어린왕자가 예의바르게 인사를 했습니다.

"안녕?… 안녕?… 안녕?…"

메아리가 인사를 했습니다.

"넌 누구니?"

어린왕자가 물었습니다.

"넌 누구니?… 넌 누구니?… 넌 누구니?…"

메아리가 대답했습니다.

"친구가 돼 줘. 난 너무 외로워."

어린왕자가 말했습니다.

"난 너무 외로워.… 난 너무 외로워.… 난 너무 외로워.…"

메아리가 대답했습니다.

'정말 이상한 별이야!'

어린왕자는 생각했습니다.

'모두가 하나같이 메마르고 날카로운데다 거칠고 험악해. 그리고 사람들은 보이지 않는데 숨어서 말만 따라하고…. 내 별에선 꽃이 늘 먼저 말을 걸어주었는데….'

20

어린왕자는 사막을 뚫고 바위산과 눈밭을 오래도록 걷고 나서야 마침내 길을 찾았습니다. 길은 모두 사람들이 사는 곳으로 향하고 있었습니다.

"안녕?"

어린왕자가 온통 장미 꽃밭인 정원 앞에서 인사를 건넸습니다.

"안녕."

장미꽃들이 인사를 했습니다. 어린왕자는 꽃들을 살폈습니다. 꽃들은 어린왕자의 꽃과 아주 닮아 있었습니다.

"너흰 누구지?"

어린왕자가 깜짝 놀라 물었습니다.

"우린 장미꽃이야."

장미꽃들이 대답했습니다. 어린왕자는 슬픔에 젖어들었습니다. 어린왕자의 꽃은 자기가 우주에서 하나뿐인 종류의 꽃이라고 말했습니다. 그런데 정원 한 군데에 똑같이 생긴 오천 송이나 되는 꽃이 있었습니다!

"내 꽃은 마음을 너무 아프게 했어."

어린왕자는 혼잣말을 했습니다.

"내 꽃이 이 광경을 보기라도 하면… 죽도록 기침을 해댈 거야. 그리고 웃음거리가 되기 싫어서 죽은 척할지도 몰라. 그럼 난 어쩔 수 없이 살려내려는 척이라도 하겠지. 내가 그렇게 하지 않으면, 그리고 진심으로 그렇게 하지 않으면 아마 진짜 죽어버릴지도 모르니까…."

어린왕자는 떠오르는 생각을 계속 말했습니다.

"나는 내가 세상에서 하나뿐인 꽃을 가진 부자라고 생각했는데, 이제 보니 그냥 평범한 장미일 뿐이었어. 평범한 장미와 무릎까지 오는 화산 세 개…, 그 중 하나는 영원히 꺼진 화산이고. 이런 것들로 나는 위대한 왕자가 될 수 없어…."

어린왕자는 풀밭에 쓰러져 울음을 터뜨렸습니다.

21

그때 여우가 나타났습니다.

"안녕?"

여우가 인사를 했습니다.

"안녕."

어린왕자는 공손히 인사를 했습니다. 주위를 살폈지만 아무도 없었습니다.

"나, 사과나무 아래에 있어."

목소리가 대답했습니다.

"넌 누구니?"

어린왕자가 물었습니다. 그리고 다시 말했습니다.

"넌 아주 귀엽게 생겼구나."

"난 여우야."

여우가 말했습니다.

"나랑 같이 놀자."

어린왕자가 부탁했습니다.

"난 지금 너무 우울해."

"난 너랑 놀 수 없어."

여우가 말했습니다.

"난 길들여지지 않았거든."

"아, 그렇구나, 미안해."

어린왕자가 이어서 말했습니다.

"길들인다는 게 무슨 뜻이야?"

"너, 여기 살지 않는구나?"

여우가 말했습니다.

"뭘 찾고 있는 거야?"

"사람들을 찾고 있어."

어린왕자가 말했습니다.

"그런데 길들인다는 게 무슨 뜻이야?"

"사람들은…,"

여우가 말했습니다.

"총을 가지고 있지, 그걸로 사냥을 해. 아주 짜증나는 일이야. 사람들은 닭도 길러. 사람들은 이런 일에만 관심을 가져. 너도 닭을 찾아다니니?"

"아니."

어린왕자가 말했습니다.

"난 친구를 찾고 있어. 그런데 길들인다는 게 무슨 뜻이야?"

"다들 소중하게 여기지 않는 행동이지."

여우가 말했습니다.

"관계를 맺는다는 뜻이야."

"관계를 맺는다고?"

"말하자면, 이런 거야,"

여우가 말했습니다.

"나한테 너는 아직까지 수많은 어린아이들 중 하나에 불과해. 그래서 난 네가 필요하지 않아. 너도 내가 필요하지 않아. 나 역시 너한텐 수많은 여우들 중 하나일 뿐이니까. 하지만 네가 날 길들이면 우린 서로를 필요로 할 거야. 그럼 나한테 너는 세상에서 하나뿐인 존재가 되는 거지. 그리고 너한테 나도 역시 세상에 하나뿐인 존재가 되는 거야…."

"무슨 말인지 알 것 같아."
어린왕자가 말했습니다.
"꽃이 하나 있는데, 그 꽃이 날 길들인 것 같아…."
"그럴 수도 있겠지. 지구상에는 별의 별 일이 다 벌어지니까."
여우가 말했습니다.
"아, 이 별이 아냐!"
여우는 이해할 수 없어 잠시 당황했습니다.
"그럼 다른 별?"
"응."
"거기에 사냥꾼도 있니?"
"아니."
"오, 그거 좋다! 거기에 닭도 있어?"
"아니."
"좋다 말았네."
여우가 한숨을 쉬었습니다. 여우는 다시 생각에 빠져 말했습니다.
"내 삶은 너무 따분해. 난 닭을 사냥해. 사람들은 날 사냥하지. 닭도 거기서 거기고 사람도 거기서 거기야. 그러다 보니 내가 좀 재미없거든. 그런데 네가 날 길들인다면 내

삶은 햇볕이 비추는 것 같이 빛날 거야. 나는 아마 여느 발자국소리와 다른 발자국소리를 듣게 되겠지. 모르는 발자국 소리가 들리면 나는 재빨리 굴로 숨겠지만 네가 노랫소리처럼 날 부르면 나는 굴에서 나올 거야. 저기 밀밭이 보여? 난 빵을 먹지 않아. 밀밭은 내게 아무 쓸모가 없어. 어떤 이야기도 떠오르지 않으니까. 그건 안타까운 일이지. 하지만 네 머리칼은 금빛이야. 네가 날 길들이면 얼마나 멋질지 생각해 봐! 금빛으로 빛나는 밀밭은 널 떠올리게 할 거야. 그럼 난 밀밭 사이로 들리는 바람소리를 사랑하게 될 거야…."

여우는 한참동안 어린왕자를 바라보았습니다.

"날 길들여줘!"

여우가 말했습니다.

"나도 그랬으면 좋겠어."

어린왕자가 대답했습니다.

"하지만 시간이 별로 없어. 난 친구를 사귀어야 하고, 알고 싶은 일도 너무 많아."

"길들였을 때에만 제대로 이해할 수 있어."

여우가 말했습니다.

"사람들은 아무 것도 이해하려 들질 않아. 사람들은 가게에서 이미 만들어 놓은 걸 사. 하지만 우정을 파는 가게는 어디에도 없어. 그래서 사람들에게 더 이상 친구가 없는 거야. 네게 친구가 필요하다면 날 길들여줘…."

"널 길들이려면 어떻게 해야 해?"

어린왕자가 물었습니다.

"오래도록 참고 견뎌야 해."

여우가 대답했습니다.

"우선, 나한테서 조금 떨어진 풀밭에 앉아 있는 거야, 이렇게. 그럼 나는 곁눈으로 살피겠지. 넌 아무 말도 하지 말아야 해. 말은 오해의 씨앗이거든. 넌 날마다 조금씩 나한테 가까이 다가와서 앉는 거야…."

다음 날, 어린왕자가 다시 왔습니다.
"늘 같은 시간에 오는 게 좋아."
여우가 말했습니다.
"예컨대, 네가 오후 네 시에 온다면 난 세 시부터 기쁠 거야. 시간이 흐를수록 나는 점점 더 즐거워질 거야. 네 시가 되면 기뻐서 어쩔 줄을 모르겠지. 넌 내가 얼마나 행복한지 보게 될 거야! 근데 네가 아무 때나 오면 언제쯤 내 가슴이 두근댈지 모르잖아. 그래서 적당한 의식을 지킬 필요가 있어…."
"의식이 뭐야?"
어린왕자가 물었습니다.
"그것 역시 소중하게 여기지 않는 행동 중의 하나야."
여우가 말했습니다.
"어떤 날을 다른 날과 다르게 만들고 이 순간을 다른 순간과 다르게 만드는 일이야. 예를 들면, 사냥꾼들과 나 사이에는 하나의 의식이 있어. 매주 목요일이면 사냥꾼들이 마을 처녀들과 춤을 추러 가. 목요일은 나한텐 정말 기가 막힌 날이야! 포도밭을 가고 싶은 데까지 갈 수가 있어. 하지만 사냥꾼들이 아무 때나 춤을 추러 가면 매일 매일이 똑같아지고 나한테 소풍 따위는 없는 거지."

그렇게 어린왕자는 여우를 길들였습니다. 어린왕자가 떠날 시간이 가까워지자 여우가 말했습니다.
"아, 울 것 같아."
"네 탓이야."
어린왕자가 말했습니다.
"네가 상처받길 바라지는 않았어. 네가 길들여주길 원했잖아…."
"그래 맞아."
여우가 말했습니다.
"그런데도 넌 울려 하잖아."
"그것도 맞아."
여우가 말했습니다.
"결국, 너한테 좋은 건 하나도 없었어!"
"좋은 게 있었어."
여우가 말했습니다.
"밀밭의 빛깔이 있잖아."
여우가 이어서 말했습니다.
"장미꽃들에게 다시 가봐. 넌 네 꽃이 세상에서 하나뿐인 꽃이란 걸 알게 될 거야. 그 다음에 내게 돌아와 작별인사를 해줘. 그럼 비밀 하나를 선물할게."

어린왕자는 장미꽃들을 다시 보러 갔습니다.
"너희는 내 장미꽃과 하나도 닮지 않았어."
어린왕자가 말했습니다.
"너희는 아무도 길들여주지 않고 너희 역시 아무도 길들이지 않았으니 아직까지 아무 것도 아닌 거야. 내 친구 여우를 처음 만났을 때처럼 말이야. 그 여우는 수많은 여우들 중의 하나일 뿐이었지만 지금은 세상에서 단 하나뿐인 내 여우친구야."
장미꽃들은 몹시 당황했습니다.
"너희는 아름다워, 하지만 무의미해."
어린왕자가 계속 말했습니다.
"누구도 너희를 위해 목숨을 걸진 않을 거야. 분명히 지나가는 나그네는 내 장미꽃을 너희와 똑같다고 생각할 거야. 하지만 내 꽃은 너희와 같은 수많은 장미꽃들보다 더 소중해. 왜냐면 그 꽃은 내가 물을 주었고 유리덮개도 만들어 주었고 바람막이를 만들어 보살펴주었어. 그리고 나비가 될 두세 마리를 뺀 애벌레도 잡아주었고 투덜대거나 잘난 체를 하고, 심지어 아무 말도 하지 않을 때조차 내가 귀를 기울여준 바로 나의 꽃이었으니까."
어린왕자는 다시 여우를 만나러 갔습니다.

"잘 있어."
어린왕자가 말했습니다.
"잘 가."
여우가 말했습니다.
"이제 비밀을 말해줄게. 아주 단순해. 세상을 올바르게 보려면 마음으로 보아야해. 가장 소중한 건 눈에 보이지 않는 거야."
"가장 소중한 건 눈에 보이지 않는 거야."
어린왕자는 오래도록 기억하기 위해 여우의 말을 따라했습니다.
"네 장미꽃을 위해 시간을 들인 건 그 꽃이 소중하기 때문이야."
"내 장미꽃을 위해 시간을 들인 건 내 꽃이 소중하기 때문이야."
어린왕자는 오래도록 기억하기 위해 여우의 말을 따라했습니다.
"사람들은 이 사실을 잊고 살아."
여우가 말했습니다.
"하지만 넌 잊지 마. 넌 네가 길들인 것을 영원히 책임져야해. 네 꽃에 대해 책임이 있는 것처럼…."

"난 내 꽃에 대해 책임이 있어."

어린왕자는 오래도록 기억하기 위해 여우의 말을 따라했습니다.

22

"안녕하세요?"

어린왕자가 말했습니다.

"안녕."

철도신호수가 말했습니다.

"뭘 하고 있는 거예요?"

어린왕자가 물었습니다.

"여행자들을 나눠 보내고 있어. 한 번에 천 명쯤 되지."

신호수가 말했습니다.

"여행자들이 탄 기차를 어떨 때는 오른쪽, 어떨 때는 왼쪽으로 보내."

눈부신 불빛을 비추는 기차가 벼락같은 요란한 소리를 내며 신호소 곁을 빠르게 지나갔습니다.

"여행자들은 정말 바쁜가 봐요."

어린왕자가 말했습니다.

"뭘 찾아가는 거예요?"

"그건 철도기관사들조차도 몰라."

신호수가 말했습니다. 그리고 두 번째 눈부신 불빛을 비추는 요란한 기차가 반대편으로 지나쳐갔습니다.

"아까 지나간 여행자들이 벌써 돌아오는 거예요?"

어린왕자가 물었습니다.

"아까와는 다른 기차야."

신호수가 말했습니다.

"서로 마주보고 지나치는 기차야."

"여행자들은 자기가 사는 곳이 맘에 들지 않는 건가요?"

어린왕자가 물었습니다.

"아무도 자기가 사는 곳을 줄곧 만족스럽게 생각하지는 않아."

어린왕자와 신호수는 세 번째 눈부신 불빛을 비추는 열차가 지나가는 요란한 소리를 들었습니다.

"저 여행자들은 첫 번째 여행자들을 따라가는 거예요?"

어린왕자가 물었습니다.

"따라가지 않아."

신호수가 말했습니다.

"여행자들은 기차 안에서 잠을 자. 잠들지 않으면 하품을 하고 있겠지. 아이들만이 열차창문에 코를 박고 돼지코를 만들고 있을 뿐이야."

"자기가 뭘 하는지 아는 여행자는 아이들뿐이군요."

어린왕자가 말했습니다.

"꾀죄죄한 인형과 놀며 보내는 시간은 아이들에게 아주 소중해요. 그래서 누가 인형을 뺏으면 울어버리는 거예요…."

"아이들은 축복받은 거야."

신호수가 말했습니다.

23

"안녕하세요?"

어린왕자가 인사를 했습니다.

"안녕."

장사꾼이 인사를 했습니다. 장사꾼은 갈증해소 알약을 발명한 사람이었습니다. 한 알만 삼키면 일주일동안 아무 것도 마실 필요가 없는 약이었습니다.

"왜 이 약을 팔아요?"

어린왕자가 물었습니다.

"어마어마한 시간을 절약할 수 있단다."

장사꾼이 말했습니다.

"이 약으로 말할 것 같으면, 똑똑한 박사님들이 계산한 결과, 매주 오십삼 분의 시간을 절약할 수 있단다."

"그러면 오십삼 분으로 나는 뭘 할 수 있어요?"

"아무 거나, 네가 좋아하는 걸 할 수 있지."

"나라면…,"

어린왕자가 혼잣말을 했습니다.

"내 맘대로 쓸 수 있는 오십삼 분이 있다면 천천히 걸으며 시원한 샘물이나 찾고 싶어."

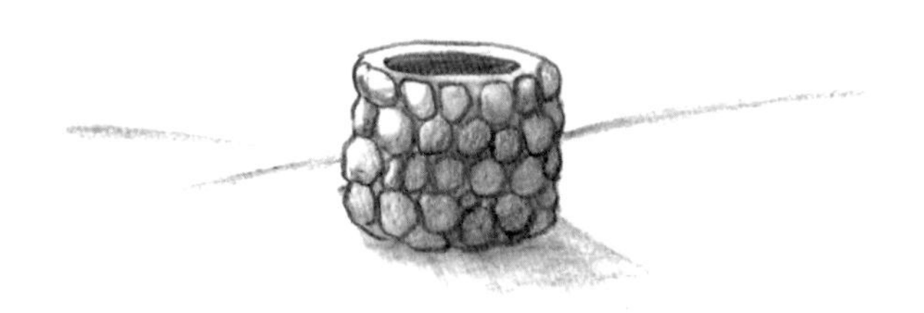

24

사막에서 사고가 난지 여덟 번째 되는 날이었습니다. 나는 장사꾼의 이야기를 듣는 동안 마지막 남은 물 한 방울을 마셨습니다.
“아, 아주 재미있는 이야기구나. 하지만 나는 아직도 비행기 엔진을 고치지 못했어. 게다가 마실 물도 다 떨어졌어. 나도 정말이지, 천천히 걸으며 시원한 샘물이나 찾아 나설 수 있다면 얼마나 좋을까!”
나는 어린왕자에게 말했습니다.
“내 친구 여우는….”
어린왕자가 내게 말했습니다.
“귀여운 꼬마친구야, 지금은 네 친구 여우 얘기나 하고 있을 때가 아냐!”
“왜요?”
“목말라 죽을 지경이야….”
어린왕자는 내 말은 듣지도 않고 이렇게 대답했습니다.
“죽을 지경이라도 친구를 갖는다는 건 좋은 일이에요. 난 여우를 친구로 두게 되어 얼마나 기뻤는지 몰라요.”

'이 꼬마는 앞으로 어떤 위험이 닥칠지 아무 생각이 없구나.'

나는 혼자 생각했습니다.

'가만 보니, 전혀 배고프거나 목말라하지 않잖아? 그저 햇빛만 조금만 있어도 되는 건가?'

어린왕자는 가만히 나를 쳐다보았습니다. 내 생각을 읽었는지 대답을 했습니다.

"나도 목말라요. 함께 샘을 찾아봐요."

나는 지쳤다는 몸짓을 했습니다. 넓디넓은 사막 가운데에서 어디 있는지도 모르는 샘을 찾는다는 건 말도 안 되는 얘기였습니다. 하지만 어느 새 우리는 걷고 있었습니다.

우리는 한참을 아무 말 없이 터벅터벅 걸었습니다. 별이 하나둘 떠오르기 시작했습니다. 갈증 때문에 열이 났습니다. 나는 별을 바라보며 꿈을 꾸고 있는 것만 같았습니다.

어린왕자가 했던 마지막 말이 떠올랐습니다.

"너도 목마르니?"

내가 물었습니다. 하지만 어린왕자는 내 질문에는 대답하지 않고 이렇게 말했습니다.

"물은 마음에도 좋아요."

나는 그 대답을 이해할 수 없었습니다. 하지만 아무 말 하지 않았습니다. 이 상황에서 따져 물어봐야 아무 소용없다는 걸 잘 알고 있었기 때문입니다. 어린왕자는 지쳐버렸습니다. 어린왕자가 주저앉았습니다. 나도 그 곁에 앉았습니다. 한동안 침묵이 흐른 뒤, 어린왕자가 말을 꺼냈습니다.

"별이 아름다운 건, 거기 어딘가에 꽃이 있기 때문이에요."

"그럼, 그렇고말고."

나는 이렇게 대답하고는 더 이상 말을 하지 않았습니다. 나는 달빛 아래에 우릴 향해 길게 뻗은 모래등성이를 바라보았습니다.

"사막은 참 아름다워요."

어린왕자가 말했습니다. 그 말은 옳습니다. 나는 늘 사막을 좋아했습니다. 모래언덕에 앉아 있으면 아무것도 보이지 않고, 아무것도 들리지 않았습니다. 그 고요함 속에서 울림소리와 희미한 빛 같은 걸 느낄 뿐이었습니다.

"사막이 아름다운 건…,"

어린왕자가 말했습니다.

"어딘가 샘이 있기 때문이에요."

나는 갑자기 사막에서 느낀 신비로운 빛의 정체를 알아채고는 몹시 놀랐습니다. 어린 시절, 아주 낡은 집에서 살 때 그 집에 보물이 묻혀있다는 전설을 들었습니다. 분명한 건, 아무도 그 보물을 찾지 못했고 찾으려 하지도 않았다는 것입니다. 하지만 전설은 집에 마법을 걸었습니다. 내가 살던 집은 어딘가 깊숙이 비밀을 숨기고 있었던 것입니다.
"맞아."
나는 어린왕자에게 말했습니다.
"집이든, 별이든, 사막이든 그것들이 아름다울 수 있는 있는 건, 보이지 않는 무언가가 있기 때문이야."
"기뻐요."
어린왕자가 말했습니다.
"내 친구 여우랑 똑같은 말을 했어요."
어린왕자는 이내 잠이 들었습니다. 나는 어린왕자를 품에 안고 다시 걷기 시작했습니다. 마음속에 깊은 감동이 솟구쳤습니다. 나는 마치 부서지기 쉬운 보물을 나르는 것만 같았습니다. 이 세상에 이보다 더 여린 존재는 다시없을 것만 같았습니다. 달빛 아래에서 나는 어린왕자의 창백한 이마와 감긴 눈, 바람결에 흔들리는 머릿결을 보며 이렇게 혼잣말을 했습니다.
"내가 보고 있는 건 아무것도 아니야, 껍데기일 뿐이지. 정말 중요한 건 눈에 보이지 않아…."
어린왕자의 입술이 미소를 짓는 듯 반쯤 열렸습니다. 나는 다시 혼잣말을 했습니다.

"이렇게 잠든 어린왕자를 보며 가슴이 벅차오르는 이유는 어린왕자에게 꽃을 향한 변함없는 마음이 있기 때문이야. 잠들었어도 꽃의 모습이 등불처럼 어린왕자의 온몸을 비추고 있어."

나는 어린왕자가 더 여리게 느껴졌습니다. 나는 작은 바람 한 점에도 꺼져버릴 것만 같은 어린왕자의 마음속 꽃의 등불처럼 그를 지켜주고 싶었습니다. 나는 그렇게 계속 걸었습니다. 새벽 무렵에 나는 샘을 찾아냈습니다.

25

"고속열차를 탄 사람들은 자기가 뭘 찾아가는지 몰라요. 그래서 서두르고 화를 내며 헤매기만 하죠."

어린왕자는 말을 덧붙였습니다.

"아무런 소용도 없는 일이에요."

우리가 발견한 샘은 사하라사막의 다른 샘과 달랐습니다. 사하라사막의 샘들은 대부분 모래를 깊이 파지 않습니다. 그런데 이 샘은 근방에 마을이 없는데도 마치 마을에 있는 샘과 같았습니다. 나는 틀림없이 헛것을 보는 중이라고 생각했습니다.

"거 참 이상하구나."

나는 어린왕자에게 말했습니다.

"도르래와 두레박, 밧줄까지 모두 준비되어 있어."

어린왕자는 웃으며 밧줄을 당겨 도르래를 움직였습니다. 도르래는 오래도록 쓰지 않은 녹슨 풍향계처럼 삐걱댔습니다.

"들려요?"

어린왕자가 말했습니다.

"우리가 잠자는 샘을 깨웠어요. 샘이 노래를 하고 있어요."
나는 밧줄을 당기는 어린왕자를 힘들게 하고 싶지 않았습니다.

"이리주렴."
나는 말했습니다.
"네겐 너무 무거워."
나는 두레박을 길어 올려 샘 가에 놓았습니다. 다 길어 올리고 나자 나는 힘들었지만 즐거웠습니다. 여전히 도르래의 노랫소리가 들렸습니다. 일렁이는 샘물 위에 햇빛이 반짝였습니다.
"물을 마시고 싶어요."
어린왕자가 말했습니다.
"물 좀 주세요."
나는 어린왕자가 찾는 것이 무엇이었는지 깨달았습니다. 나는 두레박을 올려 어린왕자의 입술에 대어주었습니다. 어린왕자는 눈을 감고 물을 마셨습니다. 놀라운 축제에서 느끼는 기쁨만큼이나 감미로운 경험이었습니다. 샘물은 늘 마시는 물과는 달랐습니다. 그 달콤한 선물은 별빛 아래를 걷고 도르래의 노래를 들으며 고생을 한 내 두 팔에서 생겨난 것이었습니다. 내가 아주 어렸을 때에 크리스마스트리의 불빛과 한 밤중의 성가, 따뜻한 미소에서 느꼈던 것과 같이, 그렇게 빛나는 선물을 받은 것이었습니다.
"아저씨가 사는 지구별의 사람들은…,"
어린왕자가 말했습니다.
"정원에서 오천 송이의 장미를 기르지만 그 꽃들 속에서 어떤 의미도 찾으려하지 않아요."
"사람들은 찾으려하지 않지."
나는 대답했습니다.

"이렇게 꽃 한 송이나 물 한 모금에서도 의미를 찾을 수 있는데 말이에요."
"그렇지. 네 말이 맞다."
나는 말했습니다. 그리고 어린왕자가 말을 했습니다.
"하지만 눈을 감고 마음속으로 찾아야만 해요."
나는 물을 마셨습니다. 살 것 같았습니다. 동이 트자, 사막의 색깔은 꿀처럼 변했습니다. 꿀처럼 빛나는 사막이 나를 행복하게 했습니다. 자, 다음은 어떤 감정이 날 찾아올까요, 슬픔?
"이제 아저씨가 약속을 지킬 차례예요."
어린왕자가 내 곁에 다시 앉으며 부드럽게 말했습니다.
"무슨 약속?"
"양에게 재갈을 만들어준다고 했잖아요…. 난 꽃을 지켜주어야 해요."
나는 주머니에서 대충 스케치를 했던 그림공책을 꺼냈습니다. 어린왕자는 그림들을 보더니 웃으며 말했습니다.
"아저씨가 그린 바오밥나무는 브로콜리같이 생겼어요."
"에이!"
나는 바오밥나무 그림을 자랑스럽게 여기고 있었습니다!
"아저씨가 그린 여우의 귀는 뿔 같아요. 그리고 너무 길어요.”
그렇게 말하며 어린왕자는 다시 웃어댔습니다.
“너무 놀리지 마. 난 보아 뱀의 겉과 속 밖에 그릴 줄 모른다고.”
나는 말했습니다.
“음, 하지만 괜찮아요. 아이들은 다 알아볼 거예요.”
그렇게 나는 연필로 재갈을 그렸습니다. 그림을 어린왕자에게 건네는 순간, 내 마음은 찢어질 듯 아팠습니다.
“내게 말하지 않은 계획이라도 있니?”
내가 물었습니다. 하지만 어린왕자는 대답하지 않고 이렇게 말했습니다.
“내일이면 내가 지구에 온 지 일 년이 돼요.”
어린왕자는 한 동안 침묵했습니다. 그리고 다시 말했습니다.
“이 근방 어딘가에 도착했어요.”
어린왕자의 얼굴이 금방이라도 울 것처럼 붉어졌습니다. 이유를 알 수는 없었지만 나는 다시금 묘한 슬픔을 느꼈습니다. 나는 한 가지 궁금증이 생겼습니다.
“그럼 일 주일 전 아침에 날 만난 게 우연히 벌어진 일이 아니란 말이구나. 혼자서 사람 사는 곳에서 까마득히 떨어진 여기를 헤매고 있었단 얘기니? 네가 도착한 장소를 찾아가려고?"

어린왕자의 얼굴이 다시 붉어졌습니다. 나는 머뭇거리다 다시 말했습니다.

"일 년이 지났기 때문에?"

어린왕자의 얼굴이 또 붉어졌습니다. 어린왕자는 아무 대답도 하지 않았지만 붉어지는 얼굴은 그렇다는 뜻이 아니겠습니까?

"아! 사실 좀 놀랍구나…,"

하지만 어린왕자가 말을 가로막았습니다.

"아저씨는 얼른 엔진을 고쳐야만 해요. 난 여기에서 기다릴게요. 내일 저녁에 다시 오세요…."

나는 마음을 놓을 수 없었습니다. 어린왕자의 여우가 기억났습니다. 길들인 누군가를 떠나보낼 때는 눈물을 흘릴 각오가 있어야만 합니다.

26

샘 바로 옆에 쓰러져가는 낡은 돌담장이 있었습니다. 다음 날 저녁, 내가 수리를 마치고 돌아오는 길에 멀찍이서 어린왕자가 다리를 달랑대며 돌담장 위에 앉아있는 걸 보았습니다. 어린왕자의 목소리가 들렸습니다.

"넌 기억을 못하잖아. 여긴 그 자리가 아냐."

다른 목소리가 대답을 하자 어린왕자가 말했습니다.

"그래, 맞아! 바로 오늘이야, 근데 그 자리는 아냐."

나는 담장 쪽으로 계속 걸어갔습니다. 누구와 말하는지 살필 겨를이 없었습니다. 어린왕자는 계속 얘기를 하고 있었습니다.

"그렇지. 모래 위에 내 발자국이 있을 거야. 넌 거기서 날 기다리기만 하면 돼. 오늘 밤에 거기로 갈게."

담장에서 이십여 미터쯤 떨어져 있었지만 나는 여전히 아무 것도 보이지 않았습니다. 잠시 침묵이 흐른 뒤 어린왕자가 다시 말했습니다.

"네 독은 괜찮은 거야? 너무 오랫동안 아프지는 않을까?"

나는 걸음을 멈췄습니다. 가슴이 철렁 내려앉았습니다. 그렇지만 여전히 무슨 영문인지 알 수 없었습니다.
“이제 그만 가.”
어린왕자가 말했습니다.
“담장에서 내려가고 싶어.”
나는 고개를 숙여 담장 아래를 보고는 놀라 펄쩍 뛰었습니다. 거기에는 삼십 초 만에 사람의 목숨을 뺏어가는 노란 뱀 한 마리가 어린왕자와 얼굴을 맞대고 있었습니다. 순간, 나는 급히 물러서며 권총을 꺼내려고 주머니를 뒤졌습니다. 하지만 뱀은 내 기척을 듣고 연못에 물보라를 남기듯 쇳소리를 내며 모래밭을 가로질러 돌 틈 사이로 유유히 사라졌습니다.

나는 가까스로 담장으로 달려가 어린왕자를 품에 안았습니다. 어린왕자의 얼굴은 눈처럼 창백했습니다.

"왜 이러는 거니?"

나는 어린왕자를 다그쳤습니다.

"왜 뱀과 얘기를 하는 거야?"

나는 어린왕자가 늘 매고 다니는 황금색 머플러를 풀었습니다. 그리고 머리에 물을 축이고 약간의 물을 먹였습니다. 나는 뭔가 물어볼 엄두가 나질 않았습니다. 어린왕자는 팔을 내 목에 두르고 걱정스런 얼굴로 나를 바라보았습니다. 나는 총을 맞아 죽어가는 새와 같은 어린왕자의 심장소리를 느꼈습니다.

"아저씨가 엔진 고장의 원인을 찾아내서 기뻐요."

어린왕자가 말했습니다.

"아저씨는 이젠 집으로 돌아갈 수 있겠네…."

"그걸 어떻게 알았지?"

마지막 남은 희망 하나 걸고 애쓰다가 이제 막 수리가 끝났다고 말하려던 참이었습니다. 어린왕자는 내 물음에 대답하지 않고 이야기를 계속했습니다.

"나도 오늘 고향으로 돌아갈 거예요…."

그리고 슬프게 말했습니다.

"훨씬 더 멀고…, 훨씬 더 어렵겠지만…."

나는 뭔가 심상찮은 일이 벌어지고 있다는 것을 깨달았습니다. 나는 어린 아기처럼 어린왕자를 껴안았습니다. 하지만 어린왕자는 내가 다시 구해낼 수도 없는 깊은 바다 속으로 곤두박질치고 있는 것만 같았습니다. 어린왕자의 눈길은 영영 길을 잃은 사람의 눈빛처럼 심각했습니다.

"내겐 아저씨가 그려준 양이 있어요. 양을 담은 상자도 있고요. 그리고 재갈도 있잖아요…."

어린왕자는 슬픈 미소를 지었습니다. 나는 오래도록 기다리며 조금씩 어린왕자가 기운을 차리도록 지켜보았습니다.

"오, 이기야,"

어린왕자에게 말했습니다.

"너, 두려워하고 있구나…."

어린왕자는 의심할 여지도 없이 두려움에 떨고 있었습니다. 하지만 어린왕자는 밝게 웃었습니다.

"오늘 밤엔 훨씬 더 무서울지도 몰라요…."

다시금 나는 아무것도 할 수 없다는 무력감에 움츠러들었습니다. 그리고 나는 어린왕자의 웃음소리를 다시 들을 수 없다는 생각에 견딜 수가 없었습니다. 내게 어린왕자의 웃음소리는 사막의 시원한 샘물과 같은 것이었습니다.

"아가야."

내가 말했습니다.

"네 웃음소리를 다시 듣고 싶구나."

그러나 어린왕자는 내게 이렇게 말했습니다.

"오늘 밤, 일 년이 되면… 일 년 전에 여기 왔을 때처럼 내 별이 바로 저기에 떠오를 거예요."

"아가야."

나는 말했습니다.

"뱀과 만나 일을 벌이려는 것과 별 이야기 같은 건… 그건 그저 내 착각일 뿐이라고 말해주렴."

내 부탁에도 어린왕자는 대답하지 않았습니다. 대신, 이렇게 말했습니다.

"소중한 건 눈에 보이지 않아요…."

"그래, 나도 알고 있어…."

"꽃도 마찬가지예요. 어떤 별에 살고 있는 꽃을 사랑한다면 밤하늘에 별을 바라보는 것만으로도 기쁠 거예요. 별은 모두 꽃 한 송이씩 지니고 있어요…."

"그래, 맞아…."

"샘물도 그래요. 도르래와 밧줄 때문에 아저씨가 물을 떠줄 때 노래를 듣는 것 같았어요. 얼마나 좋았는지 기억나죠?"

"그래, 맞아…."

"밤이면 하늘에 별을 바라봐요. 내가 사는 별은 모든 게 작아서 어디에 내 별이 있는지 보여줄 수는 없어요. 오히려 그게 나을지도 몰라요. 많은 별들 중 어딘가에 내 별도 있을 테니까, 아저씨는 밤하늘의 모든 별을 사랑하며 바라보는 거예요…. 그럼 별들이 모두 아저씨 친구가 되어줄 거예요. 그리고 아저씨에게 선물 하나 주고 싶어요…."

그리고 어린왕자가 웃었습니다.

"오, 어린왕자야. 소중한 어린왕자야! 난 네 웃음소리가 정말 좋아!"

"내 선물은 우리가 물을 나눠 마셨던 기억과 같은 거예요…."

"무슨 말을 하려는 거냐?"

"사람들은 모두 자기별을 가지고 있어요."

어린왕자가 말했습니다.

"하지만 사람마다 다른 별을 갖고 있어요. 여행자라면 별이 길잡이가 되지만, 다른 사람에게는 그저 하늘에 떠있는 작은 별일뿐이죠. 학자에겐 풀어야할 숙제고, 내가 아는 사업가에겐 재산이죠. 그렇지만 별들은 아무 말도 하지 않아요. 아저씨는 다른 사람이 갖지 못한 아저씨만의 별을 갖는 거예요….”

“무슨 말이지?”

“많은 별들 중 어딘가에 내가 살고 있을 거예요. 그 어딘가에서 내가 웃고 있을 테죠. 그럼 아저씨가 밤하늘을 바라보면 모든 별들이 웃고 있는 것처럼 보일 거예요…. 오직 아저씨만이 웃는 별을 갖는 거예요.”

그리고 어린왕자는 다시 웃었습니다.

“시간은 모든 슬픔을 잠재우니까, 언젠가 슬픔이 사라지는 날이면, 아저씨는 날 알게 되어 기쁠 거예요. 아저씨는 언제나 내 친구가 되어 같이 웃고 싶겠죠? 그러면 아저씨는 이따금 심심할 때마다 창문을 열겠죠. 하지만 밤하늘을

쳐다보며 웃는 아저씨를 보고 친구들은 깜짝 놀랄 테죠. 아저씨는 친구들에게 이렇게 말할 거예요. '그래, 별들은 항상 나를 웃게 만든다니까!' 이 말을 들은 친구들은 아저씨를 미쳤다고 생각할 거예요. 아마도 내가 아저씨를 꼬드겨 만든 멋진 속임수가 될 수도 있겠군요."

어린왕자가 다시 웃었습니다.

"그러면 별이 아니라 웃는 방법을 아는 수많은 작은 종들을 내가 선물한 셈이네요…."

어린왕자가 다시 웃었습니다. 그리고 이내 진지한 목소리로 말했습니다.

"오늘 밤엔…, 절대 오면 안 돼요."

"네 곁을 떠나고 싶지 않아."

내가 말했습니다.

"아파하는 것처럼 보일지도 몰라요. 어쩌면 죽는 것처럼 보일지도 모르고요. 보려하지 말아요. 볼 필요도 없어요…."

"네 곁을 떠나고 싶지 않아."

하지만 어린왕자는 근심이 가득했습니다.

"뱀 때문에 그래요. 그 뱀이 아저씨를 물지는 않겠지만, 뱀들은 무서운 종족이에요. 우습게 여기다가 다른 뱀이 물어버릴지도 몰라요….”
“네 곁을 떠나고 싶지 않아.”
어린왕자는 어떤 생각을 했는지 안심했습니다.
“뱀이 두 번째 물 때는 독이 남아있지 않긴 하지….”

그날 밤, 나는 어린왕자가 떠나는 모습을 보지 못했습니다. 아무 기척도 없이 어린왕자는 떠났습니다. 내가 어린왕자를 따라잡았을 때, 어린왕자는 굳은 결심으로 빠르게 걷고 있었습니다. 어린왕자는 그저 이렇게 말했습니다.
“아! 아저씨구나….”
그리고 손을 잡았습니다. 어린왕자는 여전히 걱정을 했습니다.
“여기 온 건 잘못한 거예요. 견디기 힘들 거야. 내가 죽는 것처럼 보일 거예요. 사실 그렇지는 않지만….”
나는 아무 말도 하지 않았습니다.
“아저씨도 알잖아요…, 별은 너무 멀리에 있어요. 내 몸까지 가지고 갈 수는 없어요. 너무 무겁거든요.”
나는 아무 말도 하지 않았습니다.
“몸은 낡은 껍데기와 같아요. 낡은 껍데기 때문에 슬퍼할 필요는 없어요….”

나는 아무 말도 하지 않았습니다. 어린왕자는 조금 지쳐보였습니다. 하지만 어린왕자는 다시 힘을 냈습니다.
"잘 된 일이에요. 나도 별을 바라볼 거예요. 모든 별들이 녹슨 도르래가 달린 샘과 같겠죠? 모든 별들이 내가 마실 시원한 물을 흘려줄 거예요."
나는 아무 말도 하지 않았습니다.
"이거 재미있지 않아요? 아저씨는 오억 개의 작은 종을 갖는 거고, 나는 오억 개의 시원한 물을 뿜는 샘을 갖는 거예요…."
어린왕자는 더 이상 말을 잇지 못했습니다. 어린왕자는 울고 있었습니다.
"여기예요. 혼자 가게 해주세요."
어린왕자는 주저앉았습니다. 어린왕자는 두려워하고 있었습니다. 어린왕자가 다시 말했습니다.
"아저씨, 내 꽃 기억하죠…? 난 꽃을 지켜줘야 해요. 내 꽃은 너무 약해요! 너무 순진하고요! 온 세상에 맞서 자기를 지키기엔 아무 쓸모도 없는 네 개의 가시를 가지고 있어요…."
나도 주저앉고 말았습니다. 더 이상 서있을 수가 없었습니다.

"이제 다 왔어요. 이게 전부야…."
어린왕자는 여전히 망설였습니다. 그리곤 일어나서 한 발짝 앞으로 나갔습니다. 나는 꼼짝도 할 수가 없었습니다. 어린왕자의 발목 근처에서 노란 빛이 반짝였습니다. 어린왕자는 잠시 움직임도 없이 서있었습니다. 비명조차도 없었습니다. 어린왕자는 나무가 쓰러지듯 천천히 쓰러졌습니다. 모래 위라서 소리조차 들리지 않았습니다.

27

벌써 육 년이나 지났습니다. 나는 이 이야기를 아무에게도 털어놓지 않았습니다. 내가 돌아오자 친구들은 내가 살아남은 것에 감사했습니다. 나는 슬펐습니다. 하지만 친구들에게 이렇게 말했습니다.

"피곤해."

내 슬픔이 지금은 조금 가라앉았습니다. 완전히 사라지지는 않았다는 뜻입니다. 하지만 나는 어린왕자가 자기별로 돌아갔다는 걸 알고 있습니다. 왜냐면 날이 밝았을 때 어린왕자의 몸을 찾을 수 없었기 때문입니다. 밤이면 나는 별의 소리를 듣는 걸 즐깁니다. 별은 오억 개의 작은 종들과 같습니다.

하지만 한 가지 알 수 없는 일이 생겼습니다. 내가 어린왕자에게 재갈을 그려줄 때 그만 깜빡하고 가죽 끈을 그리지 않았습니다. 어린왕자가 양에게 재갈을 씌울 수가 없을 텐데요. 그래서 어린왕자의 별에서 지금 무슨 일이 벌어지고 있는지 궁금합니다. 아마 양이 어린왕자의 꽃을 먹어치웠을지도 모릅니다.

한번은 이렇게 혼잣말을 했습니다.

"절대 그럴 리 없어! 어린왕자가 매일 밤, 꽃에게 유리덮개를 씌워주고 양을 잘 감시하고 있을 테니까…."

그렇게 생각하면 나는 행복합니다. 거기에는 별들이 부드럽게 웃는 웃음소리가 가득할 뿐입니다.

하지만 어느 때는 이렇게 혼잣말을 했습니다.

"잠깐이라도 방심하고 있으면 큰일이잖아! 어린왕자가 밤에 유리덮개를 깜빡하면 어쩌지? 양이 한밤중에 몰래 빠져나가기라도 하면…."

그렇게 생각하면 작은 별들이 온통 눈물방울로 바뀝니다.

자, 여기 나를 포함해 어린왕자를 사랑하는 사람들을 위한 엄청난 수수께끼가 있습니다. 그것은 바로, 같은 모습은 아니겠지만 우주 어딘가에 있을, 한 번도 본 적이 없는 양 한 마리가 장미꽃을 먹어치웠을까, 아닐까 입니다.

하늘을 바라보십시오. 그리고 스스로에게 물어보십시오. 양이 장미꽃을 먹어치웠을까, 아닐까. 그러면 생각에 따라 모든 게 바뀌는 것을 알게 될 것입니다. 어른들은 이것이 얼마나 중요한 일인지 절대 모를 것입니다.

이 그림은 내게 세상에서 가장 사랑스럽고 가장 슬프기도 한 풍경입니다. 앞서 그렸던 것과 같은 그림이지만 여러분의 마음에 새겨놓고자 다시 그렸습니다. 어린왕자가 지구에 왔다가 떠난 장소의 그림입니다.

여러분이 어느 날 아프리카의 사막을 여행할 때를 대비해 확실히 알아볼 수 있도록 꼼꼼히 살펴주길 바랍니다. 만약 여러분이 여기에 도착한다면 너무 서두르지는 마십시오. 별 아래에 잠시 앉아 기다리십시오. 그러다 묻는 말에 대답도 하지 않는 금발의 어린아이가 웃으며 나타난다면 여러분은 그 아이가 누군지 알 수 있겠죠. 이 아이를 보게 되면 부디 내가 안심할 수 있도록 그 아이가 돌아왔다고 편지를 부탁드립니다.

플랜더스의 개

그림ⓒ_김신형

작품소개

가난한 소년과 늙은 개. 고단하고 안타까운 삶이지만 소년에게는 사랑을 품은 마음과 화가의 꿈이 있습니다. 그런 소년의 사정을 누구보다 잘 아는 충직한 늙은 개가 늘 곁에 함께합니다. 하지만 세상은, 그리고 마을의 '어른'들 눈에는 추레한 가난뱅이에 불과할 뿐입니다.
종종 사람들은 겉모습만으로 사람을 판단합니다. 특히 자신보다 약하다고 생각할 경우에는 더 그런 것 같습니다. 하지만 결국, 사람이란 더불어 사는 존재임을 잊어서는 안 됩니다. 풍요로운 재산과 혼자만의 안락함도 좋지만, 함께하는 삶이란 서로 사랑하고 믿는 것이 무엇보다 소중한 가치일 것입니다.

넬로와 파트라슈는 세상에 홀로 버려진 외톨이였습니다. 둘은 피를 나눈 형제보다 더 가깝게 지내는 사이였습니다. 넬로는 아르덴Ardennes: 벨기에 남동부와 룩셈부르크, 프랑스 북동부 일부지역을 포함하는 지명 출신의 아이였고 파트라슈는 플랜더스Flenders: 벨기에 북부지역 품종의 커다란 개였습니다. 살아온 햇수로 치면 둘 다 같은 나이였지만, 한 쪽은 너무 어렸고 다른 한 쪽은 너무 늙어 있었습니다. 넬로와 파트라슈는 모두 외톨이에다 가진 것도 없었기 때문에 어느 할아버지의 보살핌을 받으며 잠시도 떨어지지 않고 함께 살았습니다. 둘 사이를 끈끈하게 이어준 사연은 이렇습니다. 처음에는 서로 불쌍히 여기는 마음으로 시작되었지만 날이 갈수록 점점 그 마음이 깊어지고 몸이 자라는 동안 마음도 더욱 단단히 맺어져 서로 뗄 수 없는 사이가 되어 마침내 깊이 사랑하게 된 것입니다.

넬로 네가 사는 작은 오두막은 안트베르펜Antwerp: 현재 벨기에의 도시에서 조금 떨어진 플랜더스 지방의 작은 마을 끝자락에 있었습니다. 넬로 네 오두막은 목장과 밀밭이 드넓게 펼쳐진 가운데에 있었습니다. 오두막의 곁에는 커다란 운하를 따라 길게 늘어선 포플러와 바람에 구부러진 가지를

드리운 오리나무가 있는 곳이었습니다.

마을은 스무 채 남짓의 집과 농장으로 이루어져있었습니다. 집집마다 연두색과 하늘색 문과 장밋빛 빨강이나 검정과 흰색 지붕에 햇볕을 받은 흰 벽이 눈처럼 빛나고 있었습니다. 마을 한 가운데에는 이끼가 낀 비탈 위에 풍차가 서 있었습니다. 풍차는 사방이 밋밋한 그 지역을 대표하는 이정표였습니다. 오십여 년 전쯤에 나폴레옹 군대가 밀을 찧던 시절에 풍차를 처음 만들었을 때는 날개까지 온통 빨간색으로 칠을 했었지만 지금은 햇빛과 바람에 빛이 바래 불그스레한 갈색으로 변해버렸습니다. 게다가 마치 관절염에 걸린 노인처럼 잘 돌아가지 않거나 느닷없이 이상하게 움직이기도 했습니다. 그렇지만 풍차는 온 마을 사람들을 위해 제 역할을 다했습니다. 마을 사람들 역시 곡식을 다른 곳에서 찧는 것을 불경스레 여겼습니다. 마치 풍차 맞은편에 서있는 원뿔모양의 뾰족탑을 하고 있는 마을의 낡고 작고 칙칙한 성당의 성찬대에서 미사를 보지 않고 다른 성당으로 가서 미사를 보는 것과 마찬가지였기 때문입니다. 하나뿐인 낡은 성당의 종은 아침과 점심, 저녁마다 기괴하고 나지막하면서도 쓸쓸한 소리로 구슬프게 울렸습니다. 근처의 저지대 지방에 매달린 모든 종들은 풍경에 걸맞은 그런 음색을 가지고 태어나는 것처럼 말입니다.

태어날 무렵부터 시간을 알리는 구슬픈 소리를 들으며 넬로와 파트라슈는 마을 끝자락의 작은 오두막에서 함께 살았습니다. 목초와 곡식이 잔잔한 바다처럼 펼쳐진 초원 너머 북동쪽에 안트베르펜 대성당성모 대성당 혹은 노트르담 대성당, 루벤스의 그림이 있는 이 이야기의 주요무대의 뾰족탑이 보였습니다. 그 오두막에는 예한 다스라는 가난하고 나이 든 할아버지가 살고 있었습니다. 할아버지는 언젠가, 황소가 밭고랑을 밟는 것처럼 전쟁이 이 지방을 휩쓸었던 때를 누구보다 똑똑히 기억하고 있는 퇴역군인이었습니다. 할아버지가 군 생활에서 얻은 것이라고는 상처뿐이었습니다. 전쟁은 할아버지를 절름발이로 만들었습니다.

예한 다스 할아버지가 거의 여든이 다 되었을 무렵에 할아버지의 딸이 스타벨로Stavelot:안트베르펜 남서쪽 도시 근처의 아르덴에서 죽었습니다. 딸은 할아버지에게 두 살배기 아들을 남기고 떠났습니다. 할아버지는 스스로 병수발을 하며 견디는 처지임에도 불평 하나 없이 애물단지 손자를 떠맡았습니다. 그렇지만 손자는 금세 할아버지의 고맙고 소중한 존재가 되었습니다. 어린 넬로는 할아버지와 함께 살며 무럭무럭 자랐습니다. 넬로라는 이름은 니콜라스의 애칭이었습니다. 할아버지와 손자는 작고 가난한 오두막에서 행복하게 지냈습니다.

사실, 오두막은 아주 보잘 것 없는 흙투성이였지만 바닷가의 조개껍데기만큼이나 희고 깨끗했습니다. 작은 텃밭에는 콩과 약초와 호박을 길렀습니다.
할아버지와 넬로는 정말 가난했습니다. 끔찍이도 가난해서 며칠 동안 한 끼 식사도 하지 못할 정도였습니다. 한 번도 배불리 먹어본 적이 없었습니다. 만약 한 번이라도 배불리 먹었더라면 단숨에 하늘을 오를 듯 기뻤을 것입니다. 그런 살림살이에도 할아버지는 넬로를 아주 친절하고 인자하게 대했습니다.

넬로는 귀엽고 순수하며 정직하고 따뜻한 마음을 가진 아이였습니다. 할아버지와 넬로는 빵 한 조각과 양배추 몇 잎으로도 세상 어떤 부귀영화를 바라지 않을 만큼 행복하게 살았습니다. 할아버지와 넬로에게 단 한 가지 바람이 있다면, 그것은 파트라슈와 늘 함께 사는 것이었습니다. 만약 파트라슈가 없었더라면 넬로와 할아버지는 어떻게 살아갈 수 있었을까요?

파트라슈는 할아버지와 넬로의 모든 것이었습니다. 보물이자 곡식창고였고, 금고이자 요술지팡이였습니다. 삶을 책임지는 가장이면서 하인이었고 친구이자 든든한 버팀목이었습니다. 파트라슈가 죽거나 떠나버리면 할아버지와 넬로도 마찬가지로 죽거나 길거리에 나앉을 형편이었습니다. 파트라슈는 할아버지와 넬로의 몸이자 머리요, 손과 발이었습니다. 파트라슈는 이들의 생명과 영혼 그 자체였습니다. 예한 다스 할아버지는 절름발이였고 넬로는 꼬마에 불과했습니다. 그런 그들에게 파트라슈가 있었습니다.

플랜더스의 개들은 누런 털에 커다란 머리와 발, 늑대를 닮은 곧추 선 귀를 가지고 있었습니다. 조상대대로 이어온 고된 노동으로 단련된 근육 때문에 다리는 활처럼 휘고 발은 넓적했습니다. 오랜 세월동안 힘들고 무자비한 일을 감당한 그런 플랜더스 개의 혈통을 이어받은 파트라슈였습니다. 하인들의 하인이었고 평민의 개였으며 수레와 마차를 끄는 가축이었습니다. 물집투성이인 채로 힘줄이 끊어져라 짐수레를 끌다가 메마른 거리에서 마침내 심장이 멎어 죽어버리는 동물에 불과했습니다.

파트라슈의 부모는 평생을 날카로운 돌조각이 깔린 많은 도시의 길과 끝도 없고 그늘조차 없는 것으로 악명 높은 플랜더스의 두 갈래 길, 그리고 브라반트Brabant: 현재 네덜란드와 벨기에의 접경 지역에 자리한 옛 지명의 길 위에서 고된 일을 했습니다. 파트라슈가 부모에게서 물려받은 것이라곤 대를 잇는 고통과 일거리뿐이었습니다. 욕을 밥처럼 먹으며 늘 채찍 세례를 받으며 살았습니다. 그러면 안 되는 이유도 없었습니다. 사람만이 대접 받는 기독전통이 자리한 이 지역에서 파트라슈는 그저 개에 불과했습니다. 파트라슈는 제대로 자라기도 전에 이미 수레와 목줄의 쓴맛을 맛보았습니다.

태어나 십삼 개 월 즈음에 철물장수의 재산목록에 오르게 되었습니다. 철물장수는 푸른 바다에서 초록의 산까지 발 닿는 곳이라면 어디든 남과 북을 오가며 돌아다니는 사람이었습니다. 그는 파트라슈가 너무 어리다는 이유로 헐값에 팔아치우고 말았습니다.

새 주인은 주정뱅이에 폭군이었습니다. 파트라슈의 삶은 지옥 같았습니다. 그 당시에는 짐승을 지옥불로 다스리는 것이 기독교도들의 신앙심을 일깨우는 수단이기도 했습니다. 새 주인은 퉁명스럽고 게으른데다 잔인하기까지 한 브라반트 사내였습니다. 그는 수레에 주전자와 냄비, 커다란 병, 양동이에다 온갖 주방용품, 놋그릇과 주석으로 만든 물건까지 하나 가득 쌓아올렸습니다. 파트라슈가 한껏 짐이 실린 수레를 끄는 동안, 주인은 곁에서 검정 파이프 담배를 물고 뚱뚱한 몸을 게으르게 움직이며 어슬렁어슬렁 걸었습니다. 그러면서 길 가에 있는 술집이라면 죄다 들렀습니다.

불행인지 다행인지, 파트라슈는 무척 강했습니다. 긴 세월 동안 파트라슈의 조상은 이런 참혹한 고통 속에서 낳고 태어나기를 반복해 무쇠 같은 혈통을 이루었기 때문입니다. 죽지 않고 버틸 수는 있게 되었지만 무지막지한 짐 덩이 아래에서 수레를 끄는 가엾은 신세가 되고 만 것입니다. 성실하게 일 잘하는 네 발 동물인 플랜더스 개들에게 주는 보답이란, 사정없이 휘둘러대는 채찍질, 배고픔, 목마름, 찬바람, 욕지거리와 탈진이었습니다.

이렇게 저승을 넘나들며 이 년의 세월이 지난 어느 날, 파트라슈는 여느 때처럼 루벤스Peter Paul Rubens, 피터 파울 루벤스, 1577~1640, 안트베르펜을 중심으로 활동한 바로크 화가의 도시를 향해 길게 뻗은 먼지투성이의 고난에 찬 길을 따라 걷고 있었습니다. 한 여름이라 무척 더웠습니다. 수레는 쇠붙이와 도자기로 된 물건이 잔뜩 쌓여 아주 무거웠습니다. 사내는 파트라슈를 신경 쓰지도 않고 어슬렁어슬렁 걷고 있었습니다. 그러지 않았더라면 부들부들 떨고 있는 파트라슈의 허리를 사정없이 채찍으로 후려갈기고 있었을 것입니다. 이 브라반트 사내는 매번 술집이 나타날 때마다 맥주를 마시려고 머물렀지만 파트라슈에게는 수로에 흐르는 물을 마실 시간조차 주질 않았습니다. 그런 채로 혼자 뙤약볕 아래의 찌는 듯한 길바닥에서 스물네 시간동안 아무것도 먹지 못하고 짐을 끌었습니다. 더 잔인한 일은 열두 시간이 되도록 물 한 방울 마시지 못한 채, 먼지가 앞을 가려 쓰라려도 허리에 얹힌 무자비한 짐을 온몸이 마비가 되도록 끌었다는 점이었습니다. 파트라슈는 비틀거리며 입에 거품을 물었습니다. 그리고 결국 쓰러지고 말았습니다.

파트라슈는 따가운 햇볕이 내리쬐는 뽀얀 먼지투성이의 길 한가운데에서 쓰러졌습니다. 죽을 만큼 아파서 움직일 수조차 없었습니다. 사내는 자기가 가지고 있던 하나뿐인 약을 파트라슈에게 주었습니다. 그것은 바로 욕설과 함께 걷어차고 참나무 몽둥이로 때리는 것이었습니다. 늘 먹고 마시던 유일한 대가였습니다. 하지만 파트라슈에게 욕설과 매질을 해도 소용이 없었습니다. 아무런 움직임도 없이 여름날의 뽀얀 먼지를 뒤집어쓰고 쓰러져있었습니다. 얼마동안 시간이 흐르고 나서 사내는 개의 옆구리를 걷어차고 저주를 퍼부어도 아무 소용이 없다는 걸 알고는 개가 정말 죽었거나 가죽을 벗겨 장갑이나 만들어 쓸 만큼 영영 쓸모없는 몸뚱이가 되었다고 생각했습니다. 사내는 모진 욕지거리로 개의 명복을 빌고 나서 하니스Harness:수레와 동물을 연결하는 장치가죽 끈을 풀었습니다. 그리고 개를 길 옆 풀밭으로 걷어차 버리고는 화를 내며 투덜댔습니다. 사내는 죽어가는 개를 개미나 까마귀가 파먹도록 내버려두고 언덕길을 혼자 느릿느릿 수레를 끌고 사라졌습니다.

그날은 루뱅Louvain: 안트베르펜 남쪽에 위치한 도시에서 열리는 케르메스 축제Kermesse수호성인 축제의 전날이었습니다. 이 브라반트 사내는 얼른 축제장터로 달려가 놋쇠가 실린 수레를 좋은 자리에 놓고 싶어 서두르던 참이었습니다. 그래서 더 화가 났습니다. 파트라슈는 아주 힘세고 끈기 있는 개였지만 이제는 사내 스스로 루뱅까지 수레를 끄는 중노동을 해야 했기 때문이었습니다. 그는 파트라슈를 돌보기 위해 잠시라도 머물 마음이 없었습니다. 개가 죽어 부릴 수가 없으니 대신 수레를 끌 다른 개를 훔칠 작정이었습니다. 사내는 주인이 한눈을 파는 틈을 타서 어슬렁대며 쏘다니는 커다란 개를 찾아 나섰습니다. 파트라슈를 구해서 기르는 동안 한 푼도 돈을 들이지 않았던 사내였습니다. 지옥 같은 이 년의 시간동안 모질게 학대하며 일만 시켰습니다. 해가 뜰 때부터 질 때까지 여름이든 겨울이든, 날씨가 좋든 나쁘든 상관하지 않았습니다.

사내는 파트라슈를 데리고 제법 돈도 벌고 여러모로 도움을 많이 받았습니다. 그런데 사내는 인간으로 태어나서 슬기롭게도, 새들이 시뻘겋게 살아있는 개의 두 눈을 쪼아댈지도 모르는데 마지막 숨을 몰아쉬고 있는 개를 더러운 하수구에 처박아버리고 말았습니다. 개를 보살필 시간이면 루뱅에 가서 구걸하고 훔친 다음, 먹고 마시고 춤추고 노래하며 즐길 수 있었기 때문입니다. 수레를 끌던 하찮은 개 한 마리 때문에 시간낭비를 하고 동전 한줌까지 써가며 한바탕 즐길 수 있는 기회를 버릴 수는 없었습니다.

파트라슈는 풀이 길게 자란 하수구 곁에 버려진 채 누워 있었습니다. 그날은 길이 몹시 북적였습니다. 수백 명의 사람들이 루뱅의 축제를 즐기기 위해 걷거나 노새나 마차를 타고 수레를 끌며 발길을 재촉하고 있었기 때문입니다. 파트라슈를 흘깃 쳐다보는 사람이 있었지만, 대개는 쳐다보지도 않고 제 갈 길을 갔습니다. 그저 죽어가는 이름 모를 개일 뿐이었습니다. 브라반트에서는 흔한 일이었습니다. 아마 세상 어디서나 마찬가지일 겁니다.

몇 시간 후, 축제를 즐기려는 사람들 틈에 작고 힘없이 구부정하게 생긴 할아버지가 절뚝이며 다가오고 있었습니다. 축제에 어울리는 차림새도 아니었습니다. 아주 남루한 차림의 할아버지가 들뜬 사람들과 흙먼지 사이를 느릿느릿 묵묵히 절뚝이며 걷고 있었습니다. 그러다 파트라슈를 보고는 잠시 멈춰서 살피더니 발걸음을 돌렸습니다. 하수구에 난 수풀을 헤치고 다가가 무릎을 꿇고 안타까운 눈빛으로 이리저리 다정하게 개를 살폈습니다. 할아버지 곁에는 발그레한 뺨에 금발머리와 검은 눈을 가진 어린 아이가 서있었습니다. 아이는 자기 가슴 높이만큼 자란 수풀 사이로 아장아장 걸어오더니 제법 심각한 얼굴로 불쌍하고 커다랗지만 기척도 없는 개를 물끄러미 바라보았습니다.

그렇게 조그만 넬로와 커다란 파트라슈가 처음 만났습니다.

그날, 예한 다스 할아버지는 아주 힘겹게 아픈 개를 짊어지고 벌판 가운데에 돌로 지은 작은 오두막으로 돌아왔습니다. 할아버지와 넬로는 아픈 개를 정성껏 돌봤습니다. 오랫동안 열과 갈증과 탈진에 시달려 병이 난 것이었습니다. 시원한 그늘에서 편히 쉬며 보살핌을 받은 파트라슈는 기운을 되찾아 누렇고 억센 네 다리로 다시 비틀비틀 일어났습니다.
파트라슈는 몇 날 며칠 동안 아무 일도 못하고 기운 없이 앓아누워 죽을 고비를 넘나들며 지냈습니다. 그 동안, 파트라슈는 거친 말을 듣거나 함부로 대하는 손길을 한 번도 느끼질 못했습니다. 대신에 어린 아이의 귀여운 속삭임과 부드럽게 돌보는 할아버지의 손길만 있었습니다.

파트라슈가 앓는 동안, 외로운 할아버지와 작고 발랄한 넬로의 일이 늘었습니다. 파트라슈는 오두막 한 구석에 건초로 된 방석과 잠자리를 갖게 되었습니다. 할아버지와 넬로는 어둠 속에서 파트라슈가 여전히 살아있음을 알리는 숨소리에 귀를 기울였습니다. 파트라슈가 처음으로 제법 짖어보려고 힘도 없이 갈라지는 목소리를 냈을 때 할아버지와 넬로는 파트라슈의 병이 나은 걸 알고는 크게 웃었습니다. 너무 기뻐서 하마터면 둘 다 눈물을 흘릴 뻔했습니다. 넬로는 너무 기뻐 들꽃처럼 줄줄이 흉터가 난 파트라슈의 목을 끌어안고 빨갛고 여린 입술로 뽀뽀를 퍼부어댔습니다.

그렇게 파트라슈는 다시 듬직하게 크고 늠름한 모습으로 일어섰습니다. 늘 자비를 구해야만 했던 파트라슈의 두 눈은 할아버지와 넬로가 일을 시키려고 욕을 하거나 다그치는 매질도 없는 것을 보고 달콤한 충격을 받았습니다. 파트라슈는 가슴속으로 한없는 사랑을 느꼈습니다. 그 후로도 같이 사는 동안 단 한 번도 그 사랑에 대한 믿음이 깨진 적이 없었습니다.
파트라슈는 비록 개였지만 고맙게 생각했습니다. 깊고 부드럽고 진지한 갈색 눈으로 오래도록 넬로와 할아버지의 행동을 지켜보았습니다.

군인이었던 예한 다스 할아버지는 성치 않은 다리 때문에 생계를 위해 조그만 수레로 적은 일 밖에 할 수 없었습니다. 그래서 형편이 나은 이웃 사람들이 기르는 젖소의 우유를 통에 담은 다음, 매일 농장에서부터 안트베르펜에 사는 사람들에게 배달하는 일을 했습니다. 사실 마을사람들이 너그러워서 할아버지에게 일감을 준 것만은 아니었습니다. 마을사람들은 우유를 제 시간에 잘 배달해줄 사람도 필요하고 집에 남아 화단과 소떼와 목장과 목초지도 돌볼 사람도 필요했기 때문이었습니다. 할아버지에게는 그 일조차도 힘겨웠습니다. 여든셋의 나이에 안트베르펜까지 가는 길은 꽤나 멀었습니다.

어느 날, 파트라슈는 병이 나아서 목 주변에 꽃다발을 두른 것 같은 흉터를 한 채로 햇볕 아래에 누워 있다가 우유통이 들락거리는 것을 보았습니다. 다음 날 아침이 되자, 파트라슈는 할아버지가 수레를 만지기도 전에 일어나 수레에 다가가 손잡이 중간에 자리를 잡고 앉았습니다. 그 동안 베풀어준 음식을 먹은 대가로 일을 할 준비가 되었다는 뜻을 몸짓으로 분명히 보여주려 했습니다. 할아버지는 이를 오래도록 거절했습니다. 개를 묶어 일을 부리는 창피하고 비열한 짓은 자연의 섭리가 아니라 생각했기 때문이었습니다. 파트라슈는 어쩔 도리가 없었습니다. 할아버지와 넬로가 수레를 내줄 생각이 없다는 것을 알고는 이빨로 수레를 끌어 보이려고도 했습니다.
결국, 예한 다스 할아버지는 두 손을 들었습니다. 파트라슈의 고마운 마음과 끈기에 굴복하고 말았습니다. 할아버지는 파트라슈에게 맞도록 수레를 고쳤습니다. 이렇게 해서 파트라슈는 그날 이후로 매일 아침이면 수레를 끌었습니다.

겨울이 되자, 예한 다스 할아버지는 루뱅의 축제 날 하수구에서 죽어가던 개였던 파트라슈가 가져다준 은혜로운 축복에 감사했습니다. 할아버지는 너무 나이를 많이 먹어서 나날이 약해지고 있었습니다. 성실하게 힘껏 거들어주는 파트라슈가 없었더라면 할아버지는 혼자서 우유통이 실린 수레를 끌고 눈보라 속에서 배달을 나서다가 진창에 깊이 바퀴가 빠져 앓아누울 게 뻔했기 때문입니다. 하지만 파트라슈에게 그런 일들은 누워서 떡먹기처럼 쉬웠습니다. 무지막지한 짐을 억지로 끌게 하려고 한 발짝 딛을 때마다 채찍질로 다그쳤던 이전 주인의 일에 비하면 그 일은 아무 것도 아니었습니다. 오히려 작은 연두색 수레에 빛나는 놋쇠 우유통을 싣고 나설 때면 친절한 할아버지가 늘 곁에서 따뜻한 보살핌과 다정한 말로 함께 했기에 즐겁기까지 했습니다. 게다가 하루에 서너 시간이면 일이 끝났기 때문에 남는 시간은 자유로웠습니다. 늘어지게 기지개를 켜고 햇볕 아래에서 잠을 잔다거나 벌판을 쏘다니며 넬로와 뛰어놀고 친한 개들이랑 함께 어울려 놀았습니다. 파트라슈는 너무 행복했습니다.

다행스럽게도 전 주인은 파트라슈가 잘 지낼 수 있도록 메헬렌Mechlin:벨기에 안트베르펜 주 남부의 도시 축제장터에서 취한 채 다투다가 죽고 말았습니다. 그래서 파트라슈를 쫓아다니거나 근사한 새 집까지 찾아와 행패를 부릴 사람은 없게 되었습니다.

몇 년이 지났습니다. 늘 다리를 절던 예한 다스 할아버지는 마침내 관절염으로 다리가 마비되어 더 이상 수레를 끌 수 없게 되었습니다. 대신에 할아버지와 여러 번 함께 다녀서 배달하는 도시를 잘 알고 있던 여섯 살의 어린 넬로가 수레 곁을 대신하게 되었습니다. 넬로는 우유 판 돈을 받아 농장 주인들에게 가져다주는 일을 의젓하게 잘해냈습니다. 사람들은 이런 넬로를 무척 맘에 들어 했습니다.

넬로는 잘 생긴 소년이 되었습니다. 검고 부드러운 깊은 눈과 예쁜 꽃물이 든 얼굴에 금발 머리칼이 목 주변까지 감싸고 있었습니다.
많은 화가들이 넬로의 수레가 지나가면 스케치를 했습니다. 초록수레에는 테니어스와 미리스, 반 탈 씨 네 놋쇠 우유통이 실려 있었습니다. 그리고 황갈색의 크고 늠름한 개가 발걸음을 옮길 때마다 하니스에 달린 종이 즐겁게 울렸습니다. 개의 곁에는 작고 하얀 발에 커다란 나막신을 신은 조그만 꼬마가 따르고 있었습니다. 마치 루벤스의 그림에 나오는 작고 얌전한 아이처럼 부드럽고 깊은, 순수하고 행복한 얼굴을 가진 그런 꼬마였습니다.

넬로와 파트라슈는 신나게 일을 잘 했습니다. 여름이 오자, 예한 다스 할아버지는 다시 건강을 되찾았지만 일을 하지는 않았습니다. 대신에 문간에 앉아 햇볕을 쬐며 정원 쪽문으로 넬로와 파트라슈가 일하러 가는 모습을 지켜보았습니다. 그러다 잠깐 졸거나 꿈도 꾸고 기도를 하기도 했습니다. 그리고 세 시를 알리는 시계의 종이 울리면 깨어나 넬로와 파트라슈가 돌아오기를 기다렸습니다. 집으로 돌아오면 파트라슈는 수레를 벗고 꼬리를 흔들며 기쁘게 짖었습니다. 넬로는 그날 있었던 이야기를 자랑스럽게 늘어놓았습니다. 그리고는 다 함께 집으로 들어가 우유나 스프를 곁들인 빵으로 식사를 했습니다. 그림자가 너른 벌판에 길게 드리울 때면 넬로와 파트라슈는 커다란 대성당 뾰족탑에 드리운 노을을 구경하러 갔습니다. 날이 저물면 함께 누워 할아버지의 기도소리를 들으며 평화롭게 잠들었습니다. 그렇게 날이 가고 해가 갔습니다.

넬로와 파트라슈는 착하고, 행복하고, 건강하게 자랐습니다. 봄과 여름에는 더욱 즐거웠습니다. 플랜더스는 사실 멋진 곳은 아닙니다. 루벤스의 자취가 남아있는 도시 중 제일 볼품없는 곳이기도 합니다. 슬픈 종소리를 울리는 쓸쓸한 종탑이나 농부들이 만든 난가리와 나무꾼이 쌓아놓은 장작무더기만 그림처럼 눈에 띌 뿐, 이렇다 할 특징도 없이 밋밋한 벌판이 지루하게 잇대고 있었습니다. 어딜 봐도 예쁜 구석 하나 없이 늘 단조로운 풍경뿐이었습니다. 그래서 산 위나 숲 속에 사는 사람들은 끝없이 펼쳐진 광활하고 황량한 지평선 때문에 감옥에라도 갇힌 듯 지겨움에 시달려야 했습니다. 너른 지평선이 따분하고 단조롭긴 해도, 땅은 기름지고 그런대로 조금 매력은 있었습니다. 물 가에는 꽃과 키 큰 나무들이 싱싱하게 자라고 있었습니다. 화물선이 해를 등지고 그 크고 검은 그림자를 이끌며 수로를 지나갈 때면, 나뭇잎의 색과는 다르게 배 위의 작은 초록색 통과 알록달록한 깃발들이 화려하게 빛났습니다. 어쨌든, 넬로와 파트라슈에게는 그 푸른 수풀과 드넓은 벌판이 정말 맘에 들어서 더 이상 바랄 게 없었습니다. 일이 끝나면 둘이 운하 옆의 수풀에 누워 시끄럽게 지나가는 배를 구경하거나 상쾌한 바다의 짠 내가 섞인 한여름의 꽃향기를 맡았습니다.

그러나 겨울은 정말 견디기 힘들었습니다. 지독하게 추운 아침마다 날도 새기 전에 일어나야 했습니다. 식사를 하지 못하는 날도 수두룩했습니다. 추운 밤이 찾아올 때면 오두막은 가축우리보다 나을 게 하나도 없었습니다. 그럭저럭 따뜻하다는 날도 춥기는 마찬가지였습니다. 그저 한 번도 열매를 맺은 적이 없는 커다란 넝쿨이 꽃 필 때나 열매를 거두는 계절에도 늘 무성히 자라 멋진 창문장식을 만들며 포근히 오두막을 감쌌습니다.
겨울의 칼바람은 가난한 오두막에 난 구멍이라면 빠지지 않고 구석구석 찾아들었습니다. 넝쿨조차 잎도 없이 잠들어있었습니다. 헐벗은 벌판은 더욱 황량하고 쓸쓸했습니다. 때로는 집 안에 얼음도 얼었습니다. 넬로의 여린 팔다리는 눈 때문에 얼어붙을 지경이었고 늠름한 파트라슈의 발바닥은 얼음조각에 찔린 상처가 가득했습니다.

그렇지만 아무도 슬픔에 겨운 한숨을 쉬지 않았습니다. 넬로의 나막신과 파트라슈의 네 다리는 하니스에 달린 종소리를 울리며 씩씩하게 얼어붙은 벌판을 함께 걸어 나갔습니다. 안트베르펜에 가면 이따금 어떤 아주머니가 수프 한 그릇과 빵 한 덩이를 주거나 맘씨 좋은 상점주인이 집으로 돌아오는 넬로 네 작은 수레에 장작 몇 개를 던져주기도 했습니다. 마을에 사는 어느 아주머니는 집에 가져가 먹으

라며 우유를 나눠주기도 했습니다. 그럴 때면 넬로와 파트라슈는 기쁨의 함성을 지르며 땅거미가 지는 눈 덮인 하얀 벌판을 내달려 집으로 돌아왔습니다.

그렇게 꽤나 만족스럽게 살았습니다. 파트라슈는 큰 길이나 사람들이 오가는 도로에서 개들이 꼭두새벽부터 늦은 밤까지 채찍질과 욕설을 밥 삼아 먹으며 고생스레 사는 모습을 보았습니다. 개들은 굶주림과 추위에 떨다가 겨우 쫓겨나듯 수레의 굴레에서 벗어나는 것이 최선이었습니다. 파트라슈는 자신의 처지에 몹시 감사했습니다. 때때로 밤에 누워있을 때면 배가 많이 고프기도 하고 여름의 뙤약볕이나 겨울 새벽의 매서운 칼바람을 맞으며 일을 하거나 날카로운 도로바닥에 여린 발바닥이 찢겨 상처가 나기도 했지만 이것이 세상에서 받을 수 있는 제일 만족스럽고 친절한 대접이라 생각했습니다. 매일 일을 하지만 사랑스런 눈길로 바라보는 사람들이 있었기에 즐겁고 만족스러웠습니다. 파트라슈는 그것으로 충분했습니다.

그런 파트라슈에게 걱정거리가 하나 있었습니다. 모두 잘 알다시피, 안트베르펜은 갈고리처럼 구부러진 터전 위에 골목마다 돌로 된 오랜 건축물로 가득 차 있는 웅장한 중세풍의 도시입니다. 종소리가 울려 퍼지는 강가에 늘어선 항구와 선술집은 늘 사람들로 북적였습니다. 집들의 아치형 문간으로 노랫소리가 끊임없이 흘러나왔습니다. 그 더럽고 소란스럽고 볼썽사나운 사람과 장사꾼들이 판치는 곳에 과거의 위대한 영광이 조용히 눈감고 있었습니다. 사람들 위로 온 종일 구름이 흘러가고 새들이 하늘을 맴돌며 바람이 한숨을 몰아쉬는 동안, 그들의 발아래에는 루벤스가 잠들어있었습니다.

거장의 위대함은 아직도 안트베르펜에 서려있습니다. 좁은 모퉁이를 돌아들면 어디나 그의 성스러운 아름다움이 깃들어 있습니다. 그로인해 보잘 것 없는 많은 것들이 거룩하게 보입니다. 구불구불한 길을 천천히 지나, 고요한 강변에 이르렀다가 냄새 나는 저잣거리를 걸을 때면 루벤스의 미적 영감이 함께 따라 걷는 듯합니다. 그의 놀라운 아름다움을 지닌 상상력이 우리에게 스며들어, 한때는 그의 발자국을 느끼고 그림자를 품었던 돌들이 되살아나 생생한 목소리로 거장에 대해 이야기하는 것 같습니다. 루벤스가 잠든 이 도시는 여전히 그를 통해 살아있음을 증명하고 있습니다.

크고 흰 무덤이 있는 곳은 고요했습니다. 오르간 소리가 울려 퍼질 때나 성가대가 '하늘의 여왕Salve Regina'나 '주여, 불쌍히 여기소서Kyrie Eleison'를 소리 높여 부를 때를 제외하고는 너무 고요했습니다. 그가 태어난 곳의 중심지라 할 수 있는 성 자크 성당에 안치된 깨끗한 대리석 무덤은 어느 예술가의 무덤보다 컸습니다.

루벤스가 없는 안트베르펜은 어떻습니까? 부둣가 장사치들만 눈독을 들이는 더럽고 음산하면서도 시끌벅적한 시장바닥일 뿐입니다. 루벤스가 있었기에 세상에 그 이름과 땅이 경건히 알려지고 예술의 신이 빛을 영접한 베들레헴이 되고 예술의 신이 잠든 골고다 언덕이 된 것입니다.

오, 세상 사람들이여! 그대들의 위대한 인물을 소중한 보석처럼 여기십시오. 미래의 사람들은 그들을 통해 당신의 민족을 기억할 것입니다. 플랜더스의 후손들은 이렇게 유명세를 타게 되었습니다. 루벤스가 살아있을 때에는 플랜더스가 낳은 아들이라는 이름 때문에 그 땅의 위대함이 칭송을 받고, 그가 죽은 후에는 루벤스라는 이름 때문에 플랜더스가 돋보이게 되었습니다. 이것 말고는 플랜더스가 명성을 떨친 일이 거의 없습니다.

하여튼, 파트라슈의 걱정거리는 이런 것이었습니다. 닥지닥지 붙은 지붕들 위에 돌로 높이 쌓아 세운 우수에 찬 대성당의 어둑한 문으로 어린 넬로가 수없이 드나드는 동안, 파트라슈는 길 가에 앉아 사랑하는 단짝친구를 홀리는 정체가 도대체 무엇인지 수도 없이 상상을 해보았습니다. 한두 번, 파트라슈는 직접 확인하고 싶어 우유수레를 끌고 덜컹거리며 계단을 오르려 한 적도 있었습니다. 하지만 금세 검은 옷을 입은 키다리 성당관리인에게 쫓겨나거나, 입구를 막은 은사슬 때문에 돌아설 수밖에 없었습니다. 그리고 혹시나 넬로를 곤란에 빠뜨려 좋지 않은 일이 생길까봐 다정한 친구가 다시 나타날 때까지 성당 앞에서 죽은 듯이 엎드려 기다렸습니다. 파트라슈의 근심은 넬로가 단지 성당에 들어가기 때문이 아니었습니다. 파트라슈는 온 마을 사람들이 풍차 건너편에 있는 낡고 작은 잿빛 성당을 다녔기에, 사람들은 으레 성당에 다닌다는 것을 알고 있었습니다.

파트라슈가 걱정하는 것은 넬로가 대성당에서 나오면 늘 상기되 있거나 창백한 낯빛을 하고 있어서 이상해보였기 때문입니다. 그렇게 대성당에 다녀온 날이면 넬로는 놀지도 않고 꿈꾸는 듯 조용히 앉아 있곤 했습니다. 그저 슬픈 모습으로 고요히 운하 길 너머에 걸린 노을을 하염없이 바라보기만 했습니다.

도대체 무엇 때문인지 파트라슈는 궁금했습니다. 파트라슈는 어린 아이가 그토록 슬퍼하는 게 보기 좋지도 않고 좋은 일도 아니라고 생각했습니다. 그래서 벙어리 냉가슴 앓듯 할 수만 있다면 넬로를 데리고 화창한 벌판이나 북적이는 시장에 가려고 애썼습니다. 하지만 넬로는 대성당에 가려고만 했습니다. 그러면 파트라슈는 쿠엔틴 마시스 Quentin Matsys, 1466~1530, 플랜더스 루뱅 출생의 화가문의 쇠 담장 옆 돌바닥에 홀로 남겨진 채, 기지개를 켜며 하품과 한숨을 쉬다가 낑낑거리기도 하며 하염없이 기다렸습니다. 넬로는 성당 관람시간이 끝나서 문 밖으로 쫓겨나면 파트라슈의 목을 끌어안고 커다란 황갈색 이마에 키스를 하며 언제나 같은 말로 속삭였습니다.
"그걸 볼 수만 있다면 얼마나 좋겠니, 파트라슈. 단 한 번만이라도!"
파트라슈는 무엇을 이야기하는지 큰 눈을 휘둥그레 뜨고 안타깝게 쳐다보았습니다.

어느 날, 성당관리인이 문을 살짝 열어둔 채 자리를 비운 틈을 타서 대성당에 슬쩍 들어가 넬로를 만났습니다. 그리고 보았습니다. '그것' 은 성가대 자리 양쪽에 가려진 커다란 그림 두 개였습니다. 넬로는 넋이 나간 표정으로 단상에 있는 「성모승천the Assumption」 그림 앞에 무릎을 꿇고 앉아있었습니다. 파트라슈의 기척을 느끼고 몸을 일으켜 부드럽게 밖으로 파트라슈를 이끄는 넬로의 얼굴은 온통 눈물범벅이었습니다. 가려진 그림 앞을 지나며 넬로는 파트라슈에게 속삭였습니다.

"가난해서 돈을 내지 않는다고 그림을 못 보게 하는 건 너무 잔인한 일이야, 파트라슈. 분명히 그분도 그림을 그릴 때, 가난한 사람들에게 그림을 못 보게 하지는 않았을 거야. 언제든 원하면 매일이라도 찾아와 그림을 볼 수 있도록 했을 거야. 분명히 그랬을 거야. 그런데 아름다운 그림들을 깜깜한 곳에 꽁꽁 감춰다니! 부자들이 돈을 내기 전에는 그림을 바라보는 사랑스런 눈길도, 불빛에 빛나는 아름다운 모습도 뽐낼 수 없도록 만들어버렸어. 저 그림들을 단 한번만이라도 볼 수 있다면 난 죽어도 좋아."

넬로는 그림을 볼 수 없었습니다. 파트라슈도 넬로를 도울 수는 없었습니다. 「십자가에 오르심the Elevation of the Cross」과 「십자가에서 내리심the Descent of the Cross」을 보는 영광의 대가로 성당에서 에누리 없이 요구하는 은화를 구하는 일이란, 넬로 네에게는 성당의 뾰족탑에 오르는 일만큼 터무니없는 일이었습니다. 넬로 네 가족은 동전 한 푼 남는 경우가 없었습니다. 그 동전이라도 있다면 불 지필 장작 몇 개를 사거나 멀건 고깃국을 조금이라도 먹기 위해 썼을 것입니다. 그것이 넬로 네가 할 수 있는 전부였습니다. 그래서 넬로는 늘 장막에 가려진 루벤스의 위대한 두 작품을 보고 싶은 열망에 마음 아프기만 했습니다.

어린 넬로의 마음은 그림을 배우고 싶은 참을 수 없는 열망으로 가득했습니다. 동도 트지 않은 이른 새벽, 사람들이 깨기도 전에 일을 하러 오랜 역사를 가진 도시를 지나갈 때면, 넬로는 그저 우유 배달을 위해 집집마다 커다란 개를 데리고 다니는 영락없는 시골뜨기 소년으로 보였습니다. 하지만 넬로는 루벤스가 신으로 계신 꿈속의 천국에 온 것만 같은 기분이었습니다.
넬로는 춥고 배고팠습니다. 나막신을 신은 발엔 양말도 신지 못했습니다. 겨울바람이 넬로의 머리카락을 헝클고 낡고 얇은 옷을 들추어댔습니다. 그러나 대성당에서 유일하게 볼 수 있게 허락된 「성모승천」 그림 속 성모님의 맑고 아름다운 얼굴과 어깨를 덮은 금발의 곱슬머리, 이마에 영원히 내려 비치는 태양을 감상하는 것만으로도 더 없는 기쁨을 맛보았습니다. 넬로는 가난 속에서 자라면서 운명의 장난에 휘말려 글도 배우지 못하고 돌보는 사람조차 없는 채로 '천재' 라 부르는 축복이자 저주의 재능을 지니고 태어난 것입니다.

다른 사람들은 그런 사실을 몰랐습니다. 넬로 스스로도 너무 어린 나머지 깨닫지 못했습니다. 아무도 몰랐습니다. 오직 파트라슈만이 알고 있었습니다. 넬로와 파트라슈는 늘 함께 지냈습니다. 그래서 파트라슈는 넬로가 돌 위에 분필로 그림을 그리면 모든 그림이 생생하게 살아 숨 쉬는 것을 보았습니다. 파트라슈는 넬로가 작은 건초 잠자리에서 남몰래 속삭이며 위대한 예술가의 혼령을 향해 애처로운 기도를 올리는 소리도 들었습니다. 파트라슈는 붉게 물든 새벽하늘과 불타오르는 석양에 비친 넬로의 얼굴에 드리운 그늘진 눈빛을 지켜보았습니다. 파트라슈는 수없이 많은 나날 동안, 넬로의 맑은 두 눈에서 뭐라 말할 수 없는 아픔과 기쁨이 섞인 눈물이 떨어져 자신의 누렇고 주름진 이마에 뜨겁게 와 닿는 것을 느꼈습니다.

"넬로야, 네가 커서 이 오두막과 작은 텃밭의 주인이 되어 네 일을 하며 이웃사람들에게 '나리' 라고 불린다면 나는 죽어도 여한이 없겠구나."
할아버지는 종종 잠자리에 들 때면 이렇게 말했습니다.
플랜더스 같은 시골에서는 작은 땅덩이라도 지니고 나리나 주인님이라 불리는 것이 가장 성공한 삶이었기 때문입니다. 할아버지는 젊은 시절에 한때는 군인으로 세상 곳곳을 누비고 다녔지만 빈털터리로 돌아오고 말았습니다. 그렇게 나이를 먹은 할아버지는 한 자리에서 소박하게 살다 죽는 게 제일 팔자 편한 삶이라고 생각했습니다. 그래서 사랑하는 손자가 그렇게 살기를 바랐습니다. 하지만 넬로는 아무 대답도 하지 않았습니다.

오래 전, 루벤스와 요르단스Jacob Jordaens, 1593~1678, 안트베르펜 출신의 화가, 반 아이크 형제후베르트 반 아이크Hubert van Eyck, 1390년경~1426와 얀 반 아이크,Jan van Eyck, 1390년경~1441; 플랜더스 출신의 화가를 비롯한 위대한 혈통을 낳고, 비교적 가까운 시기에는 디종Dijon: 프랑스 중부에 있는 도시의 옛 성벽을 갉던 뫼즈 강the meuse이 있는 아르덴 초원지대에서 활동하며 파트로클로스Patroclus, 그리스 신화에 나오는 트로이 전쟁의 영웅를 그린 위대한 화가자크 루이 다비드, Jacques-Louis David, 1748~1825를 낳은 정기가 넬로에게도 이어진 것입니다. 그들의 천재성이 너무 익숙하다보니, 우리는 그 거룩함을 깨닫지 못합니다.

넬로는 장래에 작은 텃밭이나 일구고 잔가지로 엮은 지붕 아래에 살면서 자기와 처지가 비슷하거나 조금 더 못 사는 이웃사람들에게 나리라고 불리며 사는 것과는 다른 꿈을 꾸었습니다. 붉은 노을이 물드는 저녁이나 어둑한 잿빛의 안개가 낀 아침이면 벌판 건너에 우뚝 선 대성당의 뾰족탑은 다른 삶의 이야기를 들려주었습니다. 넬로는 이런 이야기를 파트라슈에게만 말했습니다. 안개 낀 이른 아침에 둘이 일하러 나설 때나, 요란한 소리로 흐르는 강 가에서 쉴 때면 넬로는 파트라슈의 귀에 자신의 꿈을 조잘조잘 속삭였습니다.

이런 꿈은 말로 표현하기가 어려워 누군가가 공감하기에

오랜 시간이 걸리기 마련입니다. 넬로 네 가족은 아주 힘겹게 살아왔고 가난한 할아버지 역시 몸져누워 곤란을 겪고 있었습니다. 게다가 젊은 시절의 할아버지는 안트베르펜의 거리를 걸을 때마다 사람들이 동전 몇 푼어치의 흑맥주를 마시는 술집 벽에 빨강과 파랑으로 발라놓은 그림 따위를 성모라 부른다고 여기곤 했습니다. 유명한 다른 성찬대의 그림도 마찬가지라고 생각했습니다. 할아버지는 햇살이 좋은 곳이면 어디든 찾아 떠돌아다니다 플랜더스로 들어온 시골여행자였기 때문이었습니다.

파트라슈 외에 넬로의 부푼 꿈을 이야기할 수 있는 사람이 하나 더 있었습니다. 바로 알루아라는 소녀였습니다. 소녀는 초록 풀이 깔린 작은 언덕 위의 빨간 방앗간에 살았습니다. 방앗간 주인인 소녀의 아빠는 마을에서 가장 수완이 좋은 사람이었습니다. 알루아는 발그레한 둥근 얼굴을 가진 아주 예쁜 소녀였습니다. 검고 예쁜 두 눈이 아주 사랑스러웠습니다. 알루아의 눈은 플랜더스 사람들의 얼굴에 남은 스페인 알바 공작플랜더스를 통치했던 스페인 알바레스 공작 가문 통치의 증표로써, 마치 스페인 예술이 플랜더스 지방 곳곳에 뿌리 깊게 남긴 장엄한 궁전과 품격 있는 건물, 금박을 입힌 앞 처마, 문틀 위에 가로 댄 돌에 새긴 장식과 시구를 새긴 조각품과도 같은 것이었습니다.

알루아는 넬로와 파트라슈랑 자주 어울렸습니다. 눈밭을 내달리거나 꽃과 열매를 따며 벌판에서 놀기도 하고, 함께 낡은 잿빛 성당에 오르거나 방앗간의 넓은 화덕 옆에 앉아 놀기도 했습니다. 알루아는 마을의 최고 부잣집 외동딸이었습니다. 알루아가 입은 파란색 드레스는 구멍이라곤 난 적이 없었습니다. 축제장터에서는 금박을 입힌 호두와 밤과 '하느님의 어린 양' 모양의 사탕을 손에 쥘 수 있는 만큼 마음껏 가질 수 있었습니다. 첫 영성체를 받던 날, 소녀의 갈색 곱슬머리 위에 값비싼 메헬렌 장식의 미사포가 씌워졌습니다. 이 미사포는 조상대대로 물려받은 물건이었습니다. 알루아는 열두 살밖에 되지 않았는데도, 진작부터 마을 아저씨들은 자기 네 아들과 결혼하면 훌륭한 며느리가 될 거라고 떠벌이곤 했습니다. 하지만 알루아는 밝고 순수한 아이였습니다. 상속재산 따위에는 관심도 없이 넬로와 파트라슈하고만 놀기를 좋아했습니다.

알루아의 아빠인 코제 나리는 좋은 사람이었지만 조금 무뚝뚝한 사람이었습니다. 어느 날, 이제 막 풀베기 작업이 끝난 풍차 뒤의 너른 풀밭에서 놀고 있는 아이들에게 다가왔습니다. 건초더미 사이에 앉아 있는 알루아의 무릎에는 파트라슈의 황갈색 큰 머리가 얹혀있고, 둘 다 몸에 개양귀비와 수레국화로 만든 화관을 두르고 있었습니다. 넬로는 그 모습을 깨끗하고 매끄러운 송판에 숯 조각으로 그리고 있었습니다.

방앗간 집 주인은 걸음을 멈추고 그림을 바라보았습니다. 그의 눈에 눈물이 흘렀습니다. 그림은 예쁜 딸과 놀랍게

닮아있었습니다. 너무나 잘 묘사를 해서 마음에 쏙 들었습니다. 그렇지만 그는 엄마의 집안일을 돕지는 않고 게으름을 피운다고 알루아를 무섭게 꾸짖었습니다. 알루아는 무서운 나머지 울며 집으로 돌아갔습니다. 그리고 그는 돌아서서 넬로의 손에서 그림을 그린 송판을 빼앗았습니다.

"언제까지 이런 멍청한 짓이나 하고 있을 테냐?"

알루아의 아빠가 다그쳤지만 목소리는 떨고 있었습니다.

넬로는 얼굴이 빨개져서 고개를 숙였습니다.

"저는 보이는 것을 그릴 뿐이에요."

넬로가 풀죽은 목소리로 대답했습니다. 알루아의 아빠는 잠시 할 말을 잃었습니다. 그러더니 손을 뻗어 일 프랑짜리 은화를 불쑥 내밀었습니다.

"아까 말했듯이 이건 쓸 데 없는 짓이다. 그저 시간낭비일 뿐이야! 뭐, 그렇긴 하지만…, 그림이 알루아를 쏙 빼닮았으니 애 엄마가 좋아하겠구나. 그림은 내가 가질 테니 이 은화를 받거라."

넬로는 빨개진 얼굴이 진정되자, 머리를 들고 손을 뒤로 감추며 또렷이 말했습니다.

"그림과 돈을 전부 가져가세요, 코제 나리. 이따끔 저한테 잘해주셨잖아요."

넬로는 파트라슈를 데리고 벌판을 가로질러 걸어갔습니다.
"저 돈이면 성당 그림을 볼 수 있을 텐데."
넬로는 파트라슈에게 속삭였습니다.
"그래도 알루아의 그림을 팔 순 없어, 아무리 성당 그림이 보고 싶어도 말이야."

알루아의 아빠는 무거운 마음으로 방앗간 집으로 돌아왔습니다.
"그 녀석을 더 이상 알루아와 어울리게 해선 안 돼."
그날 저녁, 알루아의 아빠는 아내에게 말했습니다.
"안 좋은 일이 생길지도 몰라. 그 녀석은 열다섯 살이고 알루아는 열두 살이야. 녀석은 제법 잘 생긴데다 훤칠하다구."
"게다가 성실하고 착하기까지 하잖아요."
아주머니는 굴뚝 선반에 참나무 뻐꾸기시계와 양초 예수상과 나란히 놓인 송판 그림이 맘에 들어 눈을 떼지 못하며 말했습니다.
"그건 그래, 아니라고 할 순 없지."
백랍 포도주 병에 담긴 술을 들이키며 코제 나리가 말했습니다.
"그럼, 당신 생각이 그렇더라도 둘이 사귀게 되면…,"

아주머니가 조심스럽게 말했습니다.
"…문제될 건 없잖아요? 알루아는 둘이 살만큼 충분히 물려받을 테고, 행복만큼 소중한 건 없잖아요."
"당신이 뭘 안다고 그래, 한심하기는!"
코제 나리는 버럭 화를 내며 탁자 위에 담배파이프를 내동댕이쳤습니다.
"그 녀석은 빈털터리야. 거지나 다름없다고. 그 녀석은 잘난 화가를 꿈꾸고 있어. 그건 거지보다 더 안 좋은 거야. 둘이 맺어지지 못하게 잘 감시나 해. 아니면 알루아 이 녀석을 믿을만한 사람에게 말해 수녀원으로 보내버릴 테니까."

아주머니는 가엾게도 너무 무서워 마지못해 남편의 말을 따르겠다고 약속하고 말았습니다. 아주머니는 알루아의 단짝친구를 떼어놓으려는 걸 맺어줄 수도 없었고 남편이 가난한 죄밖에 없는 소년을 가혹하게 매도하는 일조차 막지 못했습니다. 게다가 단짝친구에게서 알루아를 떼어놓는 방법은 너무 많았습니다. 결국, 과묵하지만 자존심 세고 섬세한 소년으로 자란 넬로는 쉽게 상처 받고 말았습니다. 언제나 시간이 날 때면 파트라슈와 함께 늘 즐겨 찾아가던 언덕 위의 낡고 빨간 방앗간을 향한 발걸음을 돌렸습니다. 뭘 잘못했는지 넬로는 알지 못했습니다. 그냥 풀밭에서 알루아의 초상화를 그린 행동이 코제 나리를 화나게 한 것 같다고 생각했습니다. 넬로를 좋아하는 알루아가 달려가 넬로의 손이라도 잡으려하면 넬로는 소녀에게 슬픈 미소를 띠며 부드럽게 염려를 했습니다.

"안 돼, 알루아. 아빠를 화나게 하지 마. 아빠는 내가 널 게으르게 만든다고 생각하셔. 나랑 같이 있으면 싫어하시잖아. 네 아빠는 좋은 분이고 널 많이 사랑하시니까, 그분을 화나게 하지 말아야지, 알루아."

말은 그렇게 했지만 넬로의 마음은 무척이나 슬펐습니다. 세상은 더 이상 파트라슈와 함께 걸으며 바라보던 길게 뻗은 포플러 가로수 길의 아침 햇살처럼 빛나지 않았습니다. 낡고 빨간 방앗간은 넬로에게 마음의 고향 같은 곳이었습니다. 방앗간 앞을 지날 때면 넬로는 언제나 걸음을 멈추곤 했습니다. 방앗간 집 식구들의 기분 좋은 인사 소리와 함께 소녀의 귀여운 금발 머리가 낮은 방앗간 문 밖으로 나와 앙증맞은 손으로 파트라슈에게 뼈다귀나 빵조각을 주었기 때문이었습니다.

이제는 굳게 닫힌 문을 파트라슈가 아쉬운 눈으로 바라보았습니다. 그리고 소년은 쓰린 가슴을 안고 방앗간 앞을 스쳐 지났습니다. 소녀는 집 안의 작은 난로 가에 앉아 뜨개질 옷감 위에 눈물을 흘렸습니다. 코제 나리는 방앗간 톱니바퀴와 자루들 사이에서 자신의 의지를 다지며 이렇게 혼잣말을 했습니다.

"이렇게 하는 게 최선이야. 그 녀석은 거지일 뿐이지. 천하의 게으름뱅이에다 허황된 꿈을 꾸고 있어. 나중에 나쁜 일이 일어나지 않는다고 누가 장담하겠어?"

그는 나이에 비해 치밀한 편이었습니다. 특별한 때와 필요한 때가 아니면 문을 잠가두었습니다. 두 아이가 만나 따뜻한 정을 나누고 유쾌하게 떠들도록 놔두지 않을 생각이었습니다. 매일 즐겁게 만나 꾸밈없는 마음으로 행복한 인사와 대화를 나누며 노는 게 익숙했던 아이들이기 때문이었습니다. 아무도 놀이를 감시하거나 두 아이의 호감어린 표현을 엿듣는 이도 없었습니다. 다만, 파트라슈만이 개가 가진 예민한 이해심으로 두 아이의 기분에 맞춰 목에 걸린 놋쇠 종을 점잖게 울리곤 했습니다.

모든 게 달라졌어도 예쁜 송판의 그림은 여전히 방앗간 집 부엌에 있는 굴뚝 선반 위에 뻐꾸기시계와 양초 예수상과 함께 놓여있었습니다. 넬로는 가끔 코제 나리가 그림 선물을 받았으면서 자신을 멀리하는지 이해하기 어려웠습니다. 하지만 넬로는 불평하지 않았습니다. 그림은 넬로의 은밀한 취미였기 때문입니다. 할아버지는 항상 넬로에게 이렇게 말했습니다.
"우리가 가난한 것은 신의 뜻이니 기꺼이 받아들여야 한다. 나쁜 일이라도 좋은 마음으로 받아들이렴. 가난한 사람들은 선택할 수가 없어."

넬로는 이런 얘기를 늘 조용히 듣기만 했습니다. 할아버지의 말씀을 공손히 따랐습니다. 그렇지만 천재의 재능을 지닌 아이들이 마음을 빼앗길 때와 같은 막연한 기대감이 넬로의 가슴을 뒤흔들었습니다.
'가난한 사람도 때로는 선택할 수 있어요. 위대한 사람이 될 수 있어요. 그렇게 사람들 편견을 깨는 거예요.'
넬로의 순수한 마음은 그렇게 믿었습니다.

어느 날, 알루아는 우연히 운하 옆 밀밭에 홀로 있는 넬로를 보았습니다. 알루아는 달려가 넬로의 손을 잡고 슬피 울었습니다. 다음 날은 바로 알루아의 생일이었습니다. 넬로는 늘 소녀의 생일잔치에 초대 받아 저녁만찬 후면 커다란 헛간에서 함께 뛰어놀았습니다. 그런데 난생 처음으로 소녀의 부모님이 넬로를 초대하지 않았기 때문이었습니다. 넬로는 알루아에게 키스를 하고 나서, 신념이 어린 목소리로 속삭였습니다.

"언젠가 달라지겠지, 알루아. 언젠가 네 아빠가 가지고 계신 작은 송판 그림이 은화와 맞먹는 가치를 가지는 날이 올 거야. 그럼 네 아빠도 더 이상 문을 걸어 잠그진 않을 거야. 그냥 날 사랑해주길 바랄게, 귀여운 알루아. 항상 날 사랑해주면 돼. 난 꼭 유명한 화가가 될 거야."

"내가 널 사랑하지 않게 되면 어쩔 거야?"

알루아는 눈물이 맺힌 채로 애교스럽게 입을 살짝 삐죽이며 물었습니다. 넬로는 눈을 돌려 먼 곳을 바라봤습니다. 거기에는 대성당의 뾰족탑이 플랜더스의 저녁노을을 배경으로 우뚝 서 있었습니다. 넬로의 얼굴을 미소 짓고 있었지만 여전히 슬픔이 서려있었습니다. 알루아는 그런 넬로의 모습에서 알 수 없는 두려운 존경심이 들었습니다.

"그래도 난 유명한 화가가 될 거야."
넬로는 조용한 목소리로 말했습니다.
"유명해지지 못하면 죽을 거야, 알루아."
"넌 날 사랑하지 않는구나."
응석받이로 자란 알루아는 이렇게 말하며 넬로를 왈칵 밀쳤습니다.

넬로는 미소를 지으며 머리를 가로저었습니다. 노랗게 키가 큰 밀밭 사이를 지나 길을 걸으며 언젠가 알루아 네 가족이 내쫓거나 외면하지 않고 정중히 초대를 하는 꿈을 꾸었습니다. 그러면 마을 사람들이 넬로를 우러러보며 서로에게 이렇게 말할 것입니다.
"저기 보여? 유명한 화가가 되어 세상이 온통 이름을 불러대니 왕이 된 것 같구먼. 전엔 그저 불쌍한 꼬마 넬로였는데 말이야. 누구는 개한테 빌붙어 빵이나 얻어먹는 거지라고 그랬지, 아마?"

그리고 넬로는 할아버지에게 화려한 모피 옷을 입혀드리고 성 자크 성당루벤스의 무덤이 있는 성당에 있는 성모 가족화 속의 노인과 같은 초상화를 그려드리는 상상을 했습니다.

파트라슈의 목에는 황금 목걸이를 걸어주고 오른편에 앉힌 다음, 사람들에게 이렇게 말할 생각이었습니다.
"전엔 이 개가 하나뿐인 제 친구였어요."
그리곤 대성당의 뾰족탑이 보이도록 언덕 위에 커다란 대리석 집과 멋진 놀이터를 만든 다음, 훌륭한 재능이 있는 어리고 가난한 외톨이들을 불러 모아 살게 해주는 모습을 그려보았습니다. 그들이 넬로의 이름을 부르며 칭송할 때면 언제까지나 이렇게 말할 생각입니다.
"아니에요, 그렇게 생각하지 말아요. 루벤스님께 감사하세요. 그분이 없었다면 제가 뭘 할 수 있었겠어요?"

이런 아름답고 불가능해 보이며 순수하면서 이기심이 없는 거장에 대한 존경으로 가득 찬 꿈이 넬로와 함께 했습니다. 꿈과 함께 걸으며 넬로는 행복했습니다. 비록, 슬픔에 찬 알루아의 생일 잔칫날이지만 꿈이 있어 넬로는 행복했습니다. 넬로와 파트라슈가 작고 어두운 오두막으로 돌아와 검은 빵으로 식사를 했습니다. 그 동안에 방앗간 집에서는 온 동네 아이들이 모여 즐겁게 노래를 부르며 크고 둥근 디종 케이크와 아몬드를 뿌린 브라반트의 생강 빵을 먹었습니다. 그리고 별빛이 쏟아질 때까지 커다란 헛간에서 피리와 바이올린 소리에 맞춰 춤을 추었습니다.
"슬퍼하지 마, 파트라슈."
넬로는 문간에 앉아 파트라슈의 목을 껴안으며 말했습니다. 저만치 방앗간에서 들리는 유쾌한 목소리들이 밤공기를 타고 들려왔습니다.
"슬퍼하지 마, 점점 달라질 테니까."
넬로는 미래를 믿었습니다. 하지만 경험이 많고 생각이 깊은 파트라슈는 넬로가 오늘 방앗간 집 저녁 만찬에 초대받지 못한 아픈 마음을 불확실한 미래의 젖과 꿀이 흐르는 달콤한 꿈으로 달랬을 뿐이라고 생각했습니다. 그래서 파트라슈는 코제 나리 곁을 지날 때면 언제나 으르렁댔습니다.

"오늘이 알루아의 생일이구나, 그렇지 않니?"
그날 저녁, 할아버지는 방 한 쪽에 마련된 불편한 잠자리에 누워 물었습니다.
넬로는 고개를 끄덕였지만 할아버지의 기억이 조금 틀렸으면 좋겠다고 생각했습니다.
"그런데 왜 가질 않았니? 해마다 빠진 적이 없잖니, 넬로야."
할아버지가 물었습니다.
"할아버지가 편찮으셔서 갈 수가 없었어요."

넬로는 할아버지의 침대 쪽으로 잘생긴 얼굴을 숙이며 속삭였습니다.
"쯧쯧…, 전처럼 눌레트 아주머니에게 잠시 내 곁에 앉아 있다 가라고 하면 될 텐데. 넬로야, 무슨 일이냐? 알루아랑 싸운 건 아니겠지?"
할아버지가 다그쳐 물었습니다.
"아니에요, 할아버지. 그렇지 않아요."
넬로는 급히 대답을 했습니다. 숙이고 있던 넬로의 얼굴이 빨갛게 달아올랐습니다.
"사실은 코제 나리가 올해에는 절 초대하지 않았어요. 저 때문에 뭔가 불편하신가 봐요."
"네가 잘못한 게 없잖느냐."
"맞아요. 잘못한 게 없어요. 그저 송판에 알루아의 초상화를 그렸을 뿐이에요."
"아!"
할아버지는 더 이상 말을 잇지 못했습니다. 할아버지는 넬로의 순진한 대답을 듣고 어떤 일이 벌어졌는지 짐작할 수 있었습니다. 할아버지는 바람 벽 오두막 한 귀퉁이에 건초로 만든 잠자리에서 병과 싸우고 있었지만, 세상사 이치조차 모두 잊은 건 아니었습니다. 할아버지는 넬로의 금발머리를 부드러운 손길로 다정히 가슴에 안았습니다.
"네가 너무 가진 게 없구나, 아가야."
할아버지는 평소보다 더욱 떨리고 목소리는 흔들렸습니다.
"너무 가난하구나! 네가 견뎌내기 힘든 일이야."
"아니에요, 전 부자예요."
넬로가 속삭였습니다. 넬로의 순수한 마음은 정말 그렇게 믿고 있었습니다. 세상의 어떤 힘센 왕보다도 더 힘이 센 불멸의 힘을 지닌 부자라고 생각했습니다.

넬로는 문간을 서성이며 고요하게 내려앉은 가을 밤하늘의 별무리와 키 큰 포플러나무가 바람에 일렁이는 모습을 지켜보았습니다. 밝게 켜진 방앗간 집 창문 너머로 여전히 피리소리가 들렸습니다. 넬로는 아직 어렸기에 눈물이 두 볼을 타고 흘렀습니다. 하지만 미소 지으며 다짐했습니다.
"미래가 있잖아!"
넬로는 사방이 고요한 어둠에 잠길 때까지 그대로 서 있었습니다. 그런 후에야 파트라슈와 함께 나란히 길고 깊은 잠에 빠졌습니다.

파트라슈만이 아는 넬로의 비밀이 생겼습니다. 오두막에는 넬로만이 드나들 수 있는 작은 헛간이 딸려 있었는데, 허름해도 북쪽에서 맑고 환한 빛이 들었습니다. 거기에서 넬로는 나뭇가지로 얼기설기 만든 이젤을 놓고 그림을 그렸습니다. 머릿속에 품었던 수많은 상상들 중의 하나를 골라 커다랗게 펼쳐진 잿빛 종이의 바다 위에 모양을 입혔습니다. 가르쳐주는 사람도 없었고 물감을 살 돈도 없었습니다. 넬로는 헛간에 놓인 하찮은 그림도구 몇 개를 구하려고 몇 날을 굶어야만 했습니다. 게다가, 자신이 본 광경을 그림으로 표현하는데 그저 검정색과 흰색만 사용할 뿐이었습니다. 그토록 소중히 분필로 그린 그림이 쓰러진 나무에 걸터앉은 노인이었습니다. 그것이 그림의 전부였습니다.

넬로는 저녁 무렵이면 나무꾼 미셸 할아버지가 그렇게 앉아있는 것을 자주 보았습니다. 넬로에게 그림의 윤곽을 잡는 법이나, 원근법과 해부학, 명암을 표현하는 방법을 가르쳐준 선생님이 한 번도 없었지만, 넬로는 미셸 할아버지가 가진 근심과 나이든 노인의 슬픔, 묵묵히 고통을 견딘 세월과 주름살, 고된 일에 찌든 모습을 있는 그대로 고스

란히 표현했습니다. 그렇게 어둠이 내리는 저녁을 배경으로 죽은 나무에 걸터앉아 홀로 생각에 빠진 늙고 외로운 그림자를 한 편의 시와 같이 생명을 불어넣었습니다.
어찌 보면 분명히 서툰 구석도 있었습니다만 넬로는 사람의 참된 본 모습을 있는 그대로, 제대로 된 그림으로써 무척이나 슬픈 광경을 아름답게 표현해냈습니다.

파트라슈는 매일 일이 끝나면 오랜 시간동안 조용히 엎드려 조금씩 완성되어 가는 그림을 지켜보았습니다. 파트라슈는 넬로가 부질없고 무모할지도 모르지만, 마음속에 깊이 새긴 꿈이 있다는 걸 알고 있었습니다. 그것은 바로, 이 소중한 그림을 일 년에 한 번씩 이백 프랑의 상금을 걸고 열리는 안트베르펜의 그림 대회에 보내는 것이었습니다.
이 대회는 배우든, 못 배우든 상관없이 재능이 있는 열여덟 살 미만의 젊은이라면 누구든 참가할 수 있었습니다. 대회에 참가하는 젊은이는 분필이나 연필로 그린 작품만을 출품할 수 있었습니다. 그러면 루벤스 도시에서 가장 유명한 세 명의 미술가가 심사를 통해 우수작을 뽑았습니다.

넬로는 봄, 여름, 가을 내내 이 소중한 그림에 매달렸습니다. 혹시 당선이라도 된다면 여태껏 열렬히 동경했지만 도무지 알 수 없었던 미술에 대한 궁금증과 홀로서기에 한 발짝 다가설 수 있는 자리를 마련할 수 있었기 때문이었습니다.

넬로는 속내를 털어놓을 사람이 없었습니다. 할아버지는 이해하질 못했고 알루아는 만날 수가 없었습니다. 오직 파트라슈에게만 모든 것을 털어놓을 수 있었습니다. 넬로는 파트라슈에게 속삭였습니다.
"루벤스님이 기회를 줄 거야. 그분이 듣고 계신다면 그러실 거라 믿어."
파트라슈도 그렇게 생각했습니다. 루벤스는 개를 너무나 사랑해서 사실 그대로 섬세하게 표현하지 못한 적이 없었습니다. 그리고 파트라슈가 잘 알고 있는 것처럼 개를 사랑하는 사람이라면 늘 정이 많기 마련이었습니다.

그림 그리기는 십이 월 초까지 이어졌습니다. 마감은 이십사 일에 있을 예정이었습니다. 우승을 하는 사람이 크리스마스에 많은 사람과 기쁨을 함께할 수 있도록 말입니다.

지독하게 추운 겨울 저녁 무렵, 넬로는 희망으로 들뜨고, 막연한 두려움으로 요동치는 마음으로 소중한 그림을 조그만 초록색 우유수레에 실었습니다. 그리고 파트라슈와 함께 마을로 향해 관청 문 앞에 정해진 대로 놓고 왔습니다.

"부질없는 짓일지도 몰라. 장담할 수 없는 일이잖아?"
넬로는 소심한 마음에 의기소침한 생각을 했습니다. 그림을 두고 돌아서니, 가난하고 보잘 것 없는 꼬마가 겨우 제 이름만 아는 주제에, 늘 우러러 볼 수밖에 없는 위대한 화가나 진짜 화가들이나 그리는 그림을 그리려는 꿈을 꾼다는 게 너무 무모하고 헛되고 바보 같이 여겨졌습니다.
하지만 대성당을 지날 무렵, 위엄에 찬 루벤스의 모습이 안개에 휩싸인 어둠속에서 희미하지만 장엄한 모습을 드러내는 것 같은 환상을 느끼고 용기를 얻었습니다. 루벤스는 입가에 미소를 머금고 넬로에게 속삭이는 것 같았습니다.
"그렇지 않아, 용기를 가지렴! 내 이름을 여태껏 안트베르펜에 아로새길 수 있었던 비결은 소심한 마음과 알 수 없는 두려움 때문이 아니야."

넬로는 추운 밤을 달려 집에서 편히 쉴 수 있었습니다. 최선을 다 했으니 나머지는 신의 뜻에 따르면 된다고 생각했습니다. 넬로에게는 버드나무와 포플러나무가 늘어선 조그만 잿빛 성당에서 배운 대로 순수하고 의심하지 않는 믿음이 있었습니다.

그해 겨울은 일찍부터 아주 추웠습니다. 넬로와 파트라슈가 오두막으로 돌아오던 밤부터 눈이 내리기 시작해 여러 날 이어지는 바람에 동네 들판의 오솔길과 밭의 자취가 모두 사라졌습니다. 작은 개울들은 모두 얼어붙고 벌판에는 냉기가 가득했습니다. 어둑한 세상을 뚫고 우유를 모아서 인적이 끊어진 캄캄한 마을로 배달하는 일이 더욱 힘들어졌습니다. 파트라슈에게는 더욱 고된 일이 되었습니다. 세월이 지나는 동안 넬로는 힘센 소년으로 자랐지만 파트라슈는 늙어가고 있었습니다. 파트라슈는 무릎이 뻣뻣해지고 뼈마디가 쑤셨습니다. 그렇지만 파트라슈는 자기가 맡은 일을 결코 포기하지 않았습니다. 넬로가 파트라슈를 대신해 흔쾌히 혼자 수레를 끌려했지만 파트라슈는 그렇게 놔두지 않았습니다. 그저 빙판 위에 난 바퀴자국에 손수레가 빠졌을 때 수레 뒤에서 미는 정도의 도움만 받아들였습니다. 파트라슈는 평생 수레 끈에 매여 살았지만 그 일을 자랑스럽게 여겼습니다. 파트라슈는 눈밭이나 거친 길 때문에, 혹은 다리의 관절통 때문에 몹시 괴로울 때도 있었습니다. 그러나 단단히 심호흡을 하고 힘센 목에 힘을 넣어 천천히 인내하며 앞으로 발을 내딛었습니다.

"집에서 쉬렴, 파트라슈. 넌 쉬어야해. 수레 끄는 일은 나 혼자 할 수 있어."

아침이면 넬로가 수없이 말렸습니다. 파트라슈는 그 말을 다 알아들었지만 집에 머물려하지 않았을 뿐만 아니라, 짐 싣는 소리가 울릴 때면 백전노장처럼 피하는 법이 없었습니다. 수없는 나날 그랬듯이 매일 아침 일어나면 수레 손잡이 앞에 자리 잡고 있다가 굽은 네 다리로 눈 덮인 벌판을 가로질러 걸으며 넬로와 함께 발자국을 남겼습니다.

'어느 하나가 죽기 전까지 절대 쉴 수 없어.'

파트라슈는 이따금 생각했습니다. 그 휴식의 시간이 그리 멀지는 않았다고 말입니다. 파트라슈의 시력은 전보다 선명하지 않았고 잠에서 깰 때면 고통이 심해졌습니다. 하지만 파트라슈는 동틀 무렵, 고된 하루의 시작을 알리는 다섯 번의 성당 종소리 중, 첫 번째 소리만 들려도 잠자리에서 머뭇거리지 않고 일어났습니다.

"불쌍한 파트라슈, 조만간 우린 고요히 잠들게 될 거야, 너와 나와 함께."

이렇게 말하며 예한 다스 할아버지는 늘 가난한 빵조각을 함께 나누던 늙고 야윈 손을 뻗어 파트라슈의 머리를 토닥였습니다. 그리고 할아버지와 늙은 파트라슈는 한 가지 걱정에 마음이 아팠습니다. '우리가 떠나면 누가 사랑하는 넬로를 돌봐줄까?'

어느 날 오후, 플랜더스 벌판을 뒤덮은 대리석처럼 단단하고 매끄러운 눈밭을 건너 안트베르펜에서 집으로 돌아오는 길에 넬로와 파트라슈는 탬버린을 치는 작고 예쁜 인형을 발견했습니다. 온통 보라색과 금빛으로 치장이 된 십오 센티미터 정도의 인형이었습니다. 운명의 여신이 고귀한 운명의 사람을 싫어해 던져버린 듯, 흠도 별로 없이 길가에 떨어져 있었습니다. 아주 예쁜 인형이었습니다. 넬로는 주인을 찾아주려 애썼지만 찾지 못했습니다. 넬로는 알루아가 기뻐할만한 인형이라는 생각이 들었습니다.

방앗간에 도착했을 때 밤은 깊어 고요했습니다. 넬로는 알루아가 있는 방의 작은 창문이 어딘지 알고 있었습니다.
'길에서 주운 예쁜 장난감을 준다고 해서 무슨 일이 생기지는 않을 거야.'
넬로는 생각했습니다. 둘은 오래도록 소꿉친구로 지내온 사이였습니다. 알루아의 창문 아래에는 경사진 지붕이 있는 헛간이 있었습니다. 넬로는 지붕을 올라 희미한 불이 비치는 방의 창문을 조심스레 두드렸습니다. 알루아는 놀란 얼굴로 창을 열고 바라보았습니다. 넬로는 알루아의 손에 탬버린 인형을 쥐어주었습니다.
"알루아, 눈길에서 발견한 인형이야, 받아."
넬로가 속삭였습니다.
"어서 받아, 네게 신의 은총이 함께하기를 빌게."
넬로는 알루아가 고맙다는 말도 하기 전에 헛간 지붕을 미끄러져 내려와 어둠 속으로 급히 사라졌습니다.
그날 밤, 방앗간에 불이 났습니다. 바깥창고와 그 안에 있던 많은 곡식이 불에 타고 말았습니다. 하지만 방앗간과 사람이 사는 집은 멀쩡했습니다. 마을 사람들이 모두 나와 끔찍한 현장을 지켜보고 안트베르펜에서는 소방차가 눈길을 뚫고 급히 달려왔습니다. 사실, 방앗간 주인은 보험을 들어놨기에 잃은 것이 없었습니다. 그렇지만 그는 몹시 화를 내며 화재는 우연한 일이 아니라 누군가 앙심을 품고 저지른 일이라고 떠벌였습니다.

넬로는 잠에서 깨자마자 돕기 위해 불이 난 곳으로 달려갔습니다. 코제 나리는 화를 내며 넬로를 한쪽으로 밀어붙였습니다.
"네 녀석이 어두워진 후에 이 근처를 쏘다녔지!"
그는 거칠게 말을 이었습니다.

"내 영혼을 걸고 말하는데, 네 녀석이 왜 불이 났는지 누구보다도 잘 알고 있을 거라 본다."
넬로는 어리둥절해서 잠자코 듣기만 했습니다. 농담이 아니고서야 그렇게 말할 사람도 없고, 불난리가 났는데 농담이나 하고 있을 사람도 없었기 때문입니다.

그렇지만, 방앗간 주인은 종일 많은 동네사람들 앞에서 대놓고 억지를 부렸습니다. 비록 아무도 넬로에게 무거운 책임을 떠넘기지는 않았지만 밤중에 방앗간 근처에서 몰래 무슨 일을 저질렀다거나 코제 나리가 알루아와의 교제를 막은 것에 마음이 상해서 그랬다는 소문이 떠돌았습니다. 그렇게 작은 마을에서는 비굴하게 땅 부자의 눈치를 보고 언젠가 며느리가 될지도 모르는 알루아의 재산을 보호할 속셈으로 방앗간 주인의 말을 따라, 예한 다스 할아버지의 손자를 싸늘한 시선과 냉정한 말로 대했습니다. 아무도 대놓고 넬로에게 말하지는 않았습니다만 온 마을사람이 방앗간 주인의 변덕스런 주장에 장단을 맞췄습니다. 그리고 넬로와 파트라슈가 매일 아침 안트베르펜으로 우유배달을 하기 위해 들르면 늘 큰 웃음과 활기찬 인사를 건네던 집과 농장 사람들이 무시와 냉대로 태도를 바꿨습니다. 아무도 방앗간 주인의 터무니없는 의심을 믿으려 하지 않았고 말도 안 되는 억지주장을 펼칠 생각도 없었지만 너무 가난하고 무지했기에 마을에서 제일 돈이 많은 사람에게 감히 대항할 생각을 못했습니다. 순수한 마음을 가진 외톨이 넬로는 많은 사람들의 뜻을 거스를 힘이 없었습니다.

"당신, 어린 아이한테 너무 하셨어요."
아주머니가 울면서 남편에게 말했습니다.
"넬로는 성실하고 착한 아이예요. 아무리 언짢아도 잔꾀를 부릴 생각조차 못하는 아이잖아요."
하지만, 코제 나리는 마음속으로 자기가 한 짓이 잘못된 것임을 알아도 한번 뱉은 말을 굽힐 생각이 없는 고집 센 사람이었습니다.
그 와중에도 넬로는 사람들의 멸시와 푸대접을 불평 없이 당당히 이겨내고 있었습니다. 파트라슈와 단둘이 있을 때만 서운한 마음을 조금 드러냈습니다. 넬로는 생각했습니다.
'상을 받으면 사람들이 미안하다고 하겠지.'

넬로는 열여섯 살이 채 되지 않은 소년이었습니다. 살아온 날은 많지 않아도 작은 동네에서 줄곧 귀여움과 사랑을 받고 살았는데, 온 동네 사람이 이유 없이 등을 돌리고 말았으니 넬로에게는 너무 큰 시련이었습니다. 마을 사람들의 난로불과 이웃의 정다운 안부에서 한 줄기 빛과 따스함을 느껴야 할 한겨울에, 눈보라와 배고픔에 시달려야 했기에 더욱 힘겨웠습니다. 추운 겨울 날, 모든 이들이 서로를 보듬었지만 넬로와 파트라슈에겐 그렇지 않았습니다. 아무도 함께하려 하지 않았습니다. 넬로와 파트라슈는 침대에 누워 움직이지 못하는 할아버지와 함께 보잘 것 없는 오두막에 덩그러니 남겨져 살아야만 했습니다. 땔감은 턱없이 부족했고 식탁에는 음식이 없을 때가 많았습니다. 안트베르펜에서 온 상인이 노새수레를 끌고 우유를 생산하는 농가를 돌며 그날의 우유를 모두 가져갔기 때문이었습니다. 겨우 서너 집만이 상인의 제안을 거절하고 작은 초록수레에 일을 맡겼습니다. 덕분에 파트라슈가 끌어야 하는 짐은 아주 가벼워졌지만 넬로의 호주머니에 들어오는 돈은 동전 몇 푼밖에 없었습니다.

파트라슈는 눈에 익은 대문이 나타나면 모두 멈춰 섰습니다. 이제는 굳게 닫힌 문을 열리기라도 바라는 듯 조용히 바라보았습니다. 문과 함께 마음마저 닫아버려 빈 수레로 파트라슈를 돌려보내는 이웃의 마음도 편치는 않았습니다. 어쨌거나, 사람들은 코제 나리의 기분에 맞추려고 그렇게 했습니다.

크리스마스가 가까워졌습니다. 날씨는 몹시 사납고 추웠습니다. 눈이 이 미터 정도나 내렸고 황소와 남자가 아무 데나 밟아도 깨지지 않을 정도로 얼음이 꽁꽁 얼었습니다. 이맘때면 마을은 늘 즐겁고 활기찼습니다. 아무리 가난한 집도 따끈한 음료와 케이크, 농담과 춤, 성자 모양의 사탕과 금박 예수상이 함께 했습니다. 동네 말들이 플랜더스의 즐거운 종소리를 울리고 온 마을 주방의 화덕 위에는 푸짐한 수프 냄비가 김을 내뿜으며 노래를 했습니다. 두꺼운 외투를 입고 머릿수건을 두르고 종종 걸음으로 미사를 다니는 즐거운 아가씨들의 머리 위를 빼곤 온 세상이 눈으로 덮였습니다. 오직, 넬로 네 오두막만 몹시 어둡고 추웠습니다.

크리스마스를 한 주일 앞둔 어느 날 밤, 넬로와 파트라슈는 정말로 외톨이가 되었습니다. 죽음이 오두막에 스며들어 평생 가난과 고통밖에 남은 것이 없는 예한 다스 할아버지의 숨결을 영원히 거둬가고 만 것입니다. 할아버지는 오래도록 죽은 것과 다름없는 삶을 살았습니다. 겨우 거동하며 따뜻한 말 한마디 건네는 것이 전부였습니다. 할아버지의 죽음은 넬로와 파트라슈에게 커다란 충격이었습니다. 넬로와 파트라슈는 목 놓아 울었습니다. 할아버지가 주무시는 동안 돌아가셨기 때문에 넬로와 파트라슈는 흐릿한 새벽이 되어서야 그 사실을 알게 되었습니다. 말할 수 없는 외로움과 쓸쓸함이 넬로와 파트라슈를 덮쳤습니다. 할아버지는 오랫동안 가난하고 힘없이 그저 누워 지내는 바람에 넬로와 파트라슈를 지키기 위해 손을 들 힘도 없었습니다. 하지만 할아버지는 넬로와 파트라슈를 너무 사랑했습니다. 우유배달에서 돌아오면 언제나 미소로 반겼습니다. 새하얀 겨울 날, 작고 낡은 성당에 마련된 묘비도 없는 무덤으로 할아버지의 시신을 옮기는 동안, 넬로와 파트라슈는 그 뒤를 따르며 하염없이 울었습니다. 세상에 외톨이로 남은 어린 넬로와 늙은 파트라슈만이 유일한 조문객이었습니다.

'저 이 마음도 가라앉았을 테니, 저 불쌍한 아이를 안으로 들여도 될까?'
난로 옆에서 담배를 피우고 있는 남편을 향해 눈을 반짝이며 방앗간 안주인은 생각했습니다. 코제 나리도 아내의 생각을 알고 있었습니다. 하지만 그는 마음을 굳혔습니다. 초라한 장례행렬이 지나는 동안에도 그는 문의 빗장을 풀지 않았습니다.

"저 녀석은 거지야."

그는 혼잣말을 했습니다.

"알루아 근처에 녀석이 올 일은 없을 거야."

아주머니는 두려워 한마디도 못했습니다. 무덤이 흙에 묻히고 넬로와 파트라슈가 떠나고 밤이 되어서야 그녀는 말린 꽃으로 만든 화환을 알루아의 손에 쥐어주었습니다. 그리고 눈이 치워진 비석도 없는 무덤에 가서 공손히 놓아 드리라고 일렀습니다.

넬로와 파트라슈는 큰 슬픔에 빠져 집으로 돌아갔습니다. 초라하고 생기 없이 우울한 오두막도 이들을 위로해주지 않았습니다. 조그만 오두막의 월세 한 달 치가 밀려있었습니다. 그나마 동전 몇 푼도 장례를 치르느라 써버려 한 푼도 없었습니다. 넬로는 오두막의 주인을 찾아가 호의를 베풀어달라고 부탁했습니다. 구두장수인 그는 코제 나리와 매주 일요일 밤이면 포도주와 담배를 나누는 사이였습니다. 구두장수는 아량을 베풀 생각이 없었습니다. 그는 사납고 욕심도 많은 데다 구두쇠였습니다. 그는 월세 대신, 오두막에 있는 막대기와 돌멩이, 주전자와 접시까지 모두 요구했습니다. 그리고 날이 밝으면 넬로와 파트라슈는 오두막을 떠나라고 윽박질렀습니다.

오두막은 허름하기 그지없었습니다. 한편으론 불쌍하기 이를 데 없는 지경이었습니다. 그렇지만 넬로 네 가족에게는 미련이 많이 남는 오두막이었습니다. 그 집에서 함께 하는 동안 넬로 네는 행복했습니다. 여름이면 햇볕 가득한 벌판 가운데에 벽을 타고 오르는 넝쿨과 풍성한 열매가 있는 오두막이 아름답게 빛났습니다. 오두막 생활은 일과 가난의 연속이었지만 제법 만족스러웠습니다. 할아버지에게 달려갈 때면 늘 환한 웃음으로 반겨주던 즐거운 마음이 가득한 곳이었습니다.

밤새도록 넬로와 파트라슈는 어둠 속에서 불씨조차 없는 난로 곁에 앉아 서로를 감싸 안고 슬픔과 따뜻함을 나누었습니다. 몸은 추위로 감각이 없는 정도였지만 둘의 마음은 이미 차갑게 얼어붙은 것 같았습니다.

하얗고 찬 대지 위로 크리스마스이브 아침이 밝았습니다. 넬로는 덜덜 떨면서 세상에 하나밖에 없는 친구를 꼭 안았습니다. 파트라슈의 이마에 뜨거운 넬로의 눈물이 쏟아져 내렸습니다.

"가자, 파트라슈. 사랑하는…, 사랑하는 파트라슈."

넬로가 속삭였습니다.

"쫓겨날 때까지 기다릴 순 없어, 가자."

파트라슈는 넬로의 말을 따랐습니다. 그렇게 둘은 슬픈 마음으로 멀쩡한 구석 하나 없지만 아끼고 보살피던 물건들이 가득했던 작은 집을 두고 나왔습니다. 파트라슈는 자기의 초록수레를 지날 때 침울하게 머리를 떨어뜨렸습니다. 더 이상 파트라슈의 것이 아니었습니다. 월세를 갚기 위해 남겨두고 떠나야 하는 놋쇠로 된 하니스가 눈 위에 아무렇게나 놓여 빛나고 있었습니다. 파트라슈는 떠나려니 너무 마음이 아파 그 자리에 누워 죽고 싶었지만 넬로가 살아있는 동안만이라도 포기하지 않고 양보하기로 마음먹었습니다.

둘은 늘 그랬듯이 안트베르펜으로 향하는 길로 접어들었습니다. 날이 밝았어도 새벽과 크게 다르지는 않았습니다. 대부분의 문은 여전히 닫힌 채, 마을 사람 몇 명만 깨어있었습니다. 넬로와 파트라슈가 지나가도 사람들은 신경 쓰지 않았습니다. 살아계실 때 할아버지가 도움을 많이 주었던 이웃집 문간에서 넬로는 머뭇거리며 안을 들여다보았습니다.

"파트라슈에게 빵조각 좀 나눠주실 수 있나요?

수줍게 넬로가 말했습니다.

"나이도 많은데다 어제 아침부터 아무 것도 먹지 못했어요."

그 집 여자는 얼른 문을 닫았습니다. 잘 들리지는 않았지만 올해 밀과 보리 값이 비싸다는 말을 하는 것 같았습니다. 넬로와 파트라슈는 더 이상 부탁하지 않고 힘겨운 모습으로 다시 길을 떠났습니다.

힘겨운 길을 천천히 걸어 안트베르펜에 도착했을 때, 열 시를 알리는 종소리가 울렸습니다.

'뭐라도 가진 게 있다면 팔아서 파트라슈에게 빵을 사줬을 텐데.'

이렇게 넬로는 생각했지만 가진 거라곤 몸을 걸친 옷과 나무 신 한 켤레가 고작이었습니다. 파트라슈는 이해하고 있으니 아무 걱정 말라는 듯 넬로의 손에 코를 비볐습니다.

넬로가 공들여 그린 그림을 두고 왔던 관청에서 그림 대회의 우승자 발표가 정오에 있을 예정이었습니다. 서둘러 현관에 들어서자, 거기에 많은 사람들이 있었습니다. 또래의 아이들과 좀 더 나이가 있는 청년들, 그리고 참가자들의 가족과 친구들로 붐볐습니다. 넬로는 파트라슈를 바짝 데리고 그 사람들 속으로 들어가자, 두려움으로 가슴이 떨렸습니다.
도시의 거대한 구리종들이 정오를 알리는 커다란 종소리를 냈습니다. 관청의 안쪽 현관문이 열렸습니다. 발표가 궁금해 안달이 난 사람들이 우르르 몰려 들어갔습니다. 우승작으로 뽑힌 그림이 나무로 된 단상 위에 전시될 예정이었습니다. 넬로는 눈앞이 아득해지고 어지러웠습니다. 사지에 힘이 모두 빠졌습니다. 이윽고 정신을 차려 높이 걸린 그림을 보았습니다.

넬로의 그림이 아니었습니다!

점잖은 목소리가 천천히 우승자는 안트베르펜 시내에 사는 부두관리인의 아들인 스테판 키슬링어임을 알렸습니다.

넬로가 정신을 차렸을 때, 그는 아무도 없는 돌바닥 위에 누워있었습니다. 파트라슈는 넬로의 정신이 들게 하려고 갖은 수를 동원해 애를 쓰고 있었습니다. 좀 떨어진 곳에서 안트베르펜의 아이들이 우승한 친구를 둘러싼 채 소리를 지르고 있었습니다. 그들은 환호하며 우승한 친구와 함께 그의 집으로 향했습니다.

넬로는 비틀거리는 걸음으로 파트라슈를 품에 안았습니다.

"모두 끝났어, 사랑하는 파트라슈."

넬로가 조용히 말했습니다.

"끝나고 말았어!"

넬로는 음식을 먹지 못해 약해진 몸을 억지로 일으켜 다시 마을로 향했습니다. 파트라슈가 그 곁에서 머리를 떨어뜨리고 걸었습니다. 파트라슈의 다리도 배고픔과 슬픔으로 후들거렸습니다.

눈이 갑자기 쏟아지기 시작했습니다. 매서운 눈 폭풍이 북쪽에서 불어왔습니다. 벌판에서 죽는 것은 너무 처참한 일이었습니다. 넬로와 파트라슈는 낯익은 길로 접어들 때까지 오래도록 헤맸습니다. 마을에 가까워지자 네 시를 알리는 종소리가 들렸습니다.

갑자기 파트라슈가 멈춰 서서 눈 속에서 나는 냄새를 좇았습니다. 파트라슈는 컴컴한 어둠 속에서 낑낑대며 눈을 파헤쳐 지갑 하나를 물어내 넬로에게 보였습니다. 마침, 가까운 곳에 작은 예수상이 놓여있었습니다. 거기 십자가 아래에 가물가물 등불이 타고 있었습니다. 넬로는 무심결에 지갑을 가지고 등불 아래로 갔습니다. 지갑에는 코제 나리의 이름이 새겨있었고 지갑 안에는 이천 프랑의 지폐가 들어있었습니다.

넬로는 몽롱한 정신 조금 가다듬었습니다. 넬로는 지갑을 옷 안에 넣고 파트라슈를 토닥이며 다시 걸었습니다. 파트라슈는 애원하듯 넬로의 얼굴을 바라보았습니다.

넬로는 곧장 방앗간 집으로 가 대문을 두드렸습니다. 방앗간 집 안주인이 흐느끼며 문을 열었습니다. 곁에는 알루아가 엄마의 치맛자락에 꼭 붙어있었습니다.

"너로구나, 불쌍한 넬로."

아주머니는 눈물을 흘리며 상냥하게 말했습니다.

"나리가 보기 전에 가는 게 좋겠구나, 넬로야. 오늘 밤 우리 집에 안 좋은 일이 생겼단다. 나리가 말을 타고 집에 오다가 잃어버린 돈을 찾으러 나갔지만 눈이 이렇게 쏟아지니 찾을 수가 없을 거야. 그 돈이 없으면 우리가 망한다는 걸 신께선 알고 계시겠지. 우리가 네게 한 짓을 보시고 천벌을 내리신 거야."

넬로는 지갑을 아주머니에게 건넸습니다. 그리고 파트라슈를 집 안으로 불렀습니다.

"파트라슈가 그 돈을 찾았어요."

넬로는 빠르게 말했습니다.

"코제 나리에게 이렇게 전해주세요. 파트라슈가 너무 나이가 많아 집과 음식이 필요하다고요. 그것까지 거절하시지는 않겠죠. 그리고 파트라슈가 절 따라오지 않게 붙잡아주세요. 부디 잘 돌봐주세요."

아주머니와 파트라슈가 그 말의 뜻을 알아채기도 전에 넬로는 몸을 숙여 파트라슈에게 키스를 했습니다. 그리고 서둘러 문을 닫고 깊어지는 밤의 어둠속으로 사라져버렸습니다.

아주머니와 알루아는 기쁘고 놀라서 할 말을 잃은 채 서있었습니다. 파트라슈는 화가 나 쇠를 두르고 빗장을 친 참나무 문을 향해 괴로운 몸부림을 쳤습니다. 아주머니와 알루아는 문을 열고 내보낼 엄두조차 내지 못한 채, 그저 파트라슈를 달래려 했습니다. 아주머니와 알루아는 파트라슈에게 가지고 있는 것 중에 가장 좋은 달콤한 케이크와 신선한 고기를 주고 따끈한 난롯가로 데려가려 애썼지만 소용이 없었습니다. 파트라슈는 편한 것도 싫고 잠긴 문 앞에서 움직이기도 싫었습니다.

코제 나리는 여섯 시가 되어서야 상심하여 피곤한 모습으로 아주머니 앞에 나타났습니다.
"영영 잃어버리고 말았어."
나리는 창백한 얼굴을 하고 목소리를 떨며 심각하게 말했습니다.
"불을 밝혀 사방 찾아보았지만 찾지 못했어. 소중한 알루아의 결혼자금까지 모두 잃고 말았어!"

아주머니는 나리의 손에 돈을 건네며 어떻게 다시 찾게 되었는지 모두 말했습니다.
고집스럽던 나리가 얼굴을 감싸 쥔 채 무너져 내렸습니다.
부끄럽고 참담했습니다.
"내가 얼마나 그 애에게 모질게 대했는데."
마침내 털어놓았습니다.
"그 애에게 이런 호의를 받을 자격이 없어."
아빠에게 용기를 주기 위해 알루아가 조용히 다가가 금발의 곱슬머리를 기댔습니다.
"아빠, 넬로가 다시 오겠죠?"
알루아가 조용히 말했습니다.
"늘 그런 것처럼 내일이면 다시 오겠죠?"
나리는 알루아를 안아주었습니다. 나리의 무뚝뚝하고 볕에 그을린 얼굴이 하얘지고 입술이 떨렸습니다.
"아무렴, 그렇고말고."
나리가 알루아에게 대답했습니다.
"크리스마스 동안 넬로는 우리와 함께 할 거야. 그리고 넬로가 원한다면 언제나 같이 지내자꾸나. 신이시여, 제가 그 아이에게 보답할 수 있도록 도와주소서. 꼭 보답하겠나이다."

알루아는 기뻐서 아빠에게 감사의 키스를 했습니다. 그리고 아빠의 무릎에서 나와 문 앞을 지키고 서있는 파트라슈에게 달려갔습니다.

"그리고 오늘 밤 파트라슈를 돌봐줘도 돼요?"

알루아가 해맑게 외쳤습니다.

나리는 엄숙히 머리를 숙였습니다.

"그럼, 그럼. 극진히 대접하렴."

고집 센 나리의 마음이 바뀌어 가슴 깊이 흔들렸습니다.

크리스마스이브 날, 방앗간 집은 참나무 장작과 석탄, 크림과 꿀, 고기와 빵으로 가득했습니다. 천장에는 상록수 화환이 매달려있고, 커다란 호랑가시나무 장식엔 예수상과 뻐꾸기시계가 걸려있었습니다. 알루아를 위한 작은 종이등불과 알록달록한 장난감들, 반짝이는 그림이 그려진 사탕도 있었습니다. 온통 밝고 따뜻하고 풍요로웠습니다. 알루아는 파트라슈를 귀한 손님으로 대접하고 싶어 애를 썼습니다.

하지만, 파트라슈는 그런 따스함에 몸을 맡기고 기쁨을 함께 나누고 싶지 않았습니다. 파트라슈는 굶주린 탓에 몹시 추웠지만 넬로 없이 편안히 음식을 먹으며 방앗간 식구들과 함께 즐기고 싶지는 않았습니다. 파트라슈는 온갖 유혹을 참고 견디며 굳게 닫힌 문에 기대앉아 도망칠 기회만 엿보고 있었습니다.

"넬로를 기다리고 있구나."

코제 나리가 말했습니다.

"훌륭한 개로구나! 날이 밝자마자 먼저 넬로 네 오두막에 가봐야겠다."

아무도 넬로가 오두막을 떠난 것을 몰랐습니다. 아무도 배고픔과 고통에 맞서며 넬로가 홀로 길을 떠난 걸 몰랐습니다. 오직 파트라슈만 알고 있었습니다.

방앗간 집 부엌은 정말 포근했습니다. 커다란 장작이 화덕에서 타닥타닥 불꽃을 피워 올리고 이웃 사람들은 포도주와 살찐 거위구이로 저녁식사를 하러 들렀습니다. 알루아는 내일이면 소꿉친구를 다시 만난다는 기쁨에 노래를 부르고 깡충깡충 뛰며 금발머리를 찰랑였습니다. 코제 나리는 마음이 벅차올랐습니다. 촉촉해진 눈으로 웃음을 띠며 알루아를 바라보다가 딸이 제일 좋아하는 친구를 어떻게 도울 수 있을지 이야기했습니다. 아주머니는 만족스런 표정으로 조용히 앉아 물레를 돌렸고, 이따금 뻐꾸기시계가 즐겁게 울어댔습니다. 이야기 사이사이에 귀한 손님인 파트라슈를 향해 끝없는 환영의 찬사가 쏟아졌습니다. 하지만 파트라슈에게는 편히 쉬는 것도, 풍요로운 음식조차도 넬로가 없으면 다 소용이 없었습니다.

저녁식탁에는 김이 피어올랐습니다. 사람들의 목소리는 즐겁고 요란했습니다. 아기 예수의 탄생을 기념하는 정성이 깃든 선물들이 알루아에게 전해졌습니다.
내내 기회를 엿보던 파트라슈는 새로 온 손님이 느슨히 빗장을 풀어 놓은 순간을 틈타 박차고 뛰쳐나왔습니다. 파트라슈는 아프고 지친 다리의 고통을 참으며 깜깜한 밤중에 쏟아지는 눈보라를 뚫고 전속력으로 내달렸습니다. 파트라슈는 넬로를 따라가려는 생각밖에 없었습니다. 사람 사이의 우정이었다면 기분 좋은 식사와 따뜻한 온기, 안락한 잠자리를 위해 그곳에 머물 수 있었겠지만 파트라슈의 우정은 그렇지 않았습니다. 지난 시절, 길 가의 시궁창에서 아파 죽기 직전까지 갔던 자기를 살려준 할아버지와 어린 아이를 기억하고 있었습니다.

밤새도록 눈이 내렸습니다. 밤 열 시 무렵, 넬로의 발자취도 거의 사라져버렸습니다. 파트라슈는 냄새의 흔적을 찾기도 어려웠습니다. 겨우 흔적을 찾았다가 이내 놓쳤습니다. 찾았다가 다시 놓치기를 수백 번 반복했습니다.
그날 밤 날씨는 아주 사나웠습니다. 길 가 십자가 아래에 놓인 등불은 꺼지고 길은 빙판이 되었습니다. 앞을 내다볼 수 없는 칠흑 같은 어둠이 사람 사는 흔적을 모두 덮었습니다. 바깥세상에 살아있는 것이라곤 없었습니다. 가축들은 모두 축사에 들어가고 오두막과 농장의 사람들은 성탄절을 즐기고 있었습니다. 그런 지독한 추위 속에 파트라슈만이 바깥을 돌아다니고 있었습니다. 늙고 굶주려 고통이 가득했어도 마음에 품은 놀라운 사랑의 힘으로 견디며 찾아 헤맸습니다.

눈이 자꾸만 쌓여 넬로의 흔적은 흐려서 잘 찾을 수 없었지만 발자취는 늘 가던 안트베르펜으로 향하고 있었습니다. 파트라슈가 도시의 경계를 넘어 구불구불 어두침침한 거리의 골목길로 접어들었을 무렵, 이미 열두 시가 넘어 있었습니다. 도시는 몇몇 집의 닫힌 문틈으로 비치는 희미한 불빛과 술 취해 노래를 부르며 집으로 향하는 사람들이 든 등불 외에는 온통 어둠으로 뒤덮여있었습니다. 거리는 모두 얼어붙어 하얗게 빛났고 검게 솟은 높은 벽과 지붕이 대조를 이루고 있었습니다. 세차게 부는 바람이 간판을 쳐 삐걱대는 소리와 가로등에 높이 달린 등불을 흔드는 소리 말고는 아무 소리도 들리지 않았습니다.

파트라슈는 많은 사람이 눈을 밟고 지나다닌 발자국과 이리저리 뻗어있는 많은 길 때문에 넬로의 자취를 찾기가 매우 힘들었습니다. 하지만 파트라슈는 뼛속까지 스미는 추위를 뚫고 계속 찾았습니다. 날카로운 얼음이 발을 찌르고 배고픔이 쥐처럼 파트라슈의 몸을 갉았습니다. 처참하게 마른 몸으로 덜덜 떨렸지만 끝내 참으며 사랑하는 사람의 자취를 좇아 도시의 가장 중심부에 있는 대성당의 계단을 올랐습니다.

'넬로는 그토록 보고 싶어 하던 걸 찾아왔구나.'
파트라슈는 이렇게 생각했지만 이해할 수는 없었습니다. 파트라슈는 넬로가 가진 그림에 대한 알 수는 없지만 신성한 열망이 슬프고 가여웠습니다.

대성당의 현관문은 지난밤의 미사 후에 잠기지 않고 열려있었습니다. 성당관리인이 집에 일찍 돌아가 만찬을 즐기고 싶었거나 일찍 자려고 그랬을까? 아니면 너무 졸려 문을 잠갔는지 확인을 안 했는지는 모르지만, 어쨌든 그가 그냥 가버린 바람에 문 하나를 잠그지 않았던 것입니다. 덕분에 파트라슈는 건물 안으로 들어가 검은 돌로 된 현관바닥에 흰 발자국을 남길 수 있었습니다. 하얀 서리가 내린 것 같이 길게 이어진 흐릿한 자취를 찾아 숨 막히는 침묵과 둥근 천장이 달린 너른 공간을 지났습니다. 성단소로 곧장 향하는 문과 돌바닥을 따라 들어갔습니다. 거기에 넬로가 있었습니다. 파트라슈는 조용히 다가가 넬로의 얼굴을 핥았습니다.

'설마 내가 은혜를 잊고 널 저버릴 거라 생각한 거니? 내가 개라서?'

파트라슈는 말 없는 행동으로 말했습니다.

넬로는 조용히 흐느끼며 몸을 일으켜 파트라슈를 안았습니다.

"여기에 누워 같이 죽자."

넬로가 나직이 말했습니다.

"사람들에겐 우리가 필요 없어, 우린 버림받았어."
파트라슈는 넬로에게 안긴 채, 넬로의 가슴에 머리를 얹어 대답을 대신했습니다. 파트라슈의 슬픈 갈색 눈에 눈물이 가득 고였습니다. 자신의 처지를 한탄하는 눈물이 아니었습니다. 파트라슈는 오히려 행복했습니다.

둘은 살을 에는 추위 속에 바싹 붙어 누웠습니다. 북쪽 바다에서 플랜더스의 제방을 넘어 몰아치는 한 겨울의 폭풍은 얼음 파도와 같아서 생명을 가진 어떤 것도 닿는 순간 얼어버렸습니다. 넬로와 파트라슈가 누워있는 거대한 둥근 돌 천장 아래는 눈 덮인 바깥의 들판보다 훨씬 더 추웠습니다. 가끔 어둠 속에서 박쥐들이 파닥이고, 어쩌다 비치는 불빛에 줄지어 선 조각상들이 얼핏 보였습니다. 루벤스의 그림 아래에서 둘은 그대로 누운 채 꼼짝도 하지 않았습니다. 지독한 추위에 온 몸이 마비되어 꿈을 꾸는 듯 편안한 느낌이었습니다. 나란히 누워 즐거웠던 옛 일을 떠올렸습니다. 꽃이 만발한 여름날의 풀밭에서 서로 쫓아다니던 시절과 운하 곁에 난 키 큰 부들 속에 숨어 따사로운 햇볕을 받으며 바다로 향하는 배들을 추억했습니다.

갑자기 어둠을 뚫고 환한 빛이 성당의 통로를 밝게 비췄습니다. 달빛이었습니다. 눈이 그치자 구름을 뚫고 높은 하늘에 달빛이 얼굴을 내밀었습니다. 눈에 반사된 달빛은 동트는 새벽만큼이나 밝았습니다. 달빛은 넬로가 성당에 들어올 때 걷어버린 장막 뒤에 있던 그림 두 점 위로 가득 비췄습니다. 「십자가에 오르심」과 「십자가에서 내리심」이 모습을 드러낸 것입니다.

넬로는 일어서 그림을 향해 두 손을 뻗었습니다. 창백한 넬로의 얼굴에 북받쳐 오르는 기쁨의 눈물이 반짝였습니다.

"드디어 그림을 보게 되었어!"

넬로가 울먹이며 소리를 질렀습니다.

"오, 하느님, 이제 됐어요!"

넬로는 몸에 힘이 빠져 무릎을 꿇고 주저앉고 말았습니다. 여전히 넬로의 눈망울은 그토록 보기를 열망하던 거장의 걸작을 향하고 있었습니다. 비록 잠깐 동안이었지만, 그렇게 오랜 세월 동안 넬로를 외면하던 거룩한 그림을 달빛이 비춰준 것이었습니다. 그 빛은 하늘의 힘으로부터 나온 것처럼 맑고 부드럽고 강렬했습니다. 그러나 이내 빛이 사라졌습니다. 또다시 그림 속의 예수님 얼굴에 짙은 어둠이 드리웠습니다.

넬로는 두 팔로 파트라슈를 끌어안았습니다.

"우린 그곳에서 그분의 얼굴을 보게 될 거야."

넬로가 조용히 속삭였습니다.

"그분은 우릴 버리시지 않을 거야. 그럴 거야."

다음 날, 안트베르펜의 사람들은 대성당의 성단소 곁에서 넬로와 파트라슈를 발견했습니다. 둘 다 죽은 채였습니다. 간밤의 매서운 추위가 어린 넬로와 나이 많은 파트라슈의 생명조차 얼려버린 것이었습니다. 크리스마스 아침이 밝자, 사제들이 성당에 들어와 차가운 돌바닥 위에 나란히 누워있는 넬로와 파트라슈를 보았습니다. 루벤스의 위대한 걸작은 장막이 벗겨진 채였습니다. 맑은 아침 햇살이 그림 속 예수님의 면류관을 비추고 있었습니다.

시간이 좀 지나서 무뚝뚝하게 생긴 나이든 남자가 찾아와 여자처럼 흐느꼈습니다.
"제가 저 아이에게 못할 짓을 했습니다."
그가 털어놓았습니다.
"이제야 보답을 하려고 했는데…, 정말로 제 재산의 반을 주고 싶었습니다. 그러면 아들처럼 지냈을 텐데…."

시간이 좀 더 흐르자, 마음가짐과 씀씀이가 너르고 세계에 이름을 떨친 화가 한 사람이 찾아왔습니다.
"어제 우수상을 받아 마땅했던 아이를 찾고 있습니다."
화가는 사람들에게 말했습니다.

"그 아이는 보기 드문 가능성과 천재성을 지녔습니다. 석양 속에서 쓰러진 나무에 앉은 늙은 나무꾼을 그린 게 전부였지만, 장래에는 크게 될 소질이 보였습니다. 저는 그 아이를 찾아 데려가서 미술을 가르치고 싶습니다."

그리고 금발의 곱슬머리를 한 어린 소녀가 아버지의 팔에 매달려 슬피 울며 외쳤습니다.
"넬로야, 돌아와! 우리가 모두 준비해 놓았단 말이야. 아기예수님 손에 가득 선물을 쌓아놓았고 피리 부는 할아버지가 우릴 위해 연주도 할 거야. 그리고 엄마는 네가 우리집 난로 곁에서 호두를 구워먹으며 크리스마스뿐만 아니라 주현절예수님의 출현을 축하하는 절기. 1월 6일까지 함께 있어도 된다고 했단 말이야! 파트라슈도 정말 기뻐할 거야. 넬로야, 제발 일어나! 돌아와!"

하지만 창백한 넬로의 얼굴은 미소를 머금고 높이 걸린 위대한 루벤스의 걸작을 향하고 있었습니다. 그리고 모두에게 말하는 듯했습니다.
"너무 늦었어요."

아름답고 맑은 종소리가 얼어붙은 세상에 울려 퍼지고 햇살이 눈 덮인 대지 위에서 빛났습니다. 사람들은 모두 기쁘고 즐거웠습니다. 넬로와 파트라슈는 더 이상 그들의 온정을 바라지 않게 되었습니다. 이 도시는 넬로와 파트라슈가 바라던 모든 것을 저절로 다 이루도록 내버려두었습니다.

넬로와 파트라슈에게는 더 오래 사는 것보다 죽음이 오히려 축복이었습니다. 죽음은 보상을 바라지 않는 사랑과 조건 없는 믿음을 간절히 원하기만 하는 세상에서 충직한 사랑 하나와 순수한 믿음 하나를 데려갔습니다.

살아있는 동안 함께 했던 넬로와 파트라슈는 죽어서도 헤어지지 않았습니다. 사람들이 그들을 발견하고 떼어내려 했지만, 넬로의 팔이 파트라슈를 너무 꼭 부둥켜안고 있어서 떼어내기 힘들었습니다. 넬로와 파트라슈가 살던 마을의 사람들은 부끄러워하며 잘못을 뉘우쳤습니다. 마을 사람들은 용서를 구하며 정성껏 무덤을 만들었습니다. 넬로와 파트라슈를 한 무덤에 나란히 뉘어 영원히 함께 할 수 있도록 해주었습니다.